HAOHAIZIZUIXIANGZHIDAODECHUANSHUOGUSHI

好孩子最想知道的

传说故事

编写 陈天 等

绘画 梦幻卡通 郑凯军

精华版

HAOHAIZIGUSHIGUAN

好孩子
故事馆

全国优秀出版社
浙江少年儿童出版社
ZJJ&C

阅读经典，
感动心灵

　　遥远的上古时代，犹如人类的童年，纯真且充满幻想。由于生活条件的限制，人们不得不为生存抗争。面对严酷的生活现实，人们向往着未来，追求着一切美好的东西。古代的先民们在生息繁衍以及与大自然不断的融合中，也创造了灿烂的原始文明。于是，人们或把自己想象成拥有无穷力量的神人，或赋予物质的东西以鲜活的生命。这些人类童年的记忆，在时间的长河里沉淀下来，就是我们今天看到的传说故事。它们或想象奇特，或幽默诙谐，或充满智慧，每一个故事都是那么的神奇。从中，我们可以了解各国悠久的文化传统，了解令人赞叹的历史文明。

　　童年的记忆是很难抹去的，不管是过去的历史还是今天的文学，我们都能从中找到各种传说的影子。如今，这些流传了千百年的传说故事，已经成为人类共同的珍贵的文化遗产。对今天的孩子们来说，了解它们则是对人类文化的一种传承。

在本书中，我们精选了一篇篇脍炙人口的传说故事，并对故事进行了改编，力求文字生动有趣、简明易懂。在改写中，我们保留了那些极具想象的情节，强化了人物的性格，并追求细节的真实。

阅读对孩子来说很重要，好的阅读习惯可以影响孩子的一生。阅读古今中外优秀的文学作品，可以陶冶性情、领悟人生、净化心灵，是情感教育不可或缺的。

阅读经典，感动心灵。相信这些具有深刻内涵的传说故事，一定会成为孩子们童年中最美好的记忆。

本书每个故事均配有精彩的点评，以给孩子一点儿启发。全书文字加注了汉语拼音，方便孩子阅读；同时配有精美插图，令人赏心悦目、爱不释手。

目录
MULU

古老永恒的传说

盘古氏开天地／6

女娲氏造人／10

后羿射九日／14

精卫鸟填海／19

夸父追太阳／23

神农氏尝百草／27

燧人氏钻木取火／32

大禹治洪水／36

仓颉造字／42

愚公移山／46

亚当和夏娃／51

诺亚方舟／57

普罗米修斯／63

智慧女神雅典娜／69

太阳神阿波罗／73

影响深远的传说

元宵节／79

清明节／86

端午节／91

中秋节／96

重阳节／103

除夕／107

火把节／111

愚人节／118

万圣节／125

感恩节／131

美丽难忘的传说

西湖 / 136

黄鹤楼 / 142

神女峰 / 147

日月潭 / 152

松花江 / 157

蝴蝶泉 / 162

五羊城 / 167

五指山 / 171

富士山 / 177

爱琴海 / 184

温暖心灵的传说

弃老国 / 190

聚宝盆 / 197

和合二仙 / 202

倒贴福字 / 208

压岁钱 / 212

贴门神 / 216

月饼 / 219

馒头 / 223

涮羊肉 / 227

冰糖葫芦 / 231

奥妙无穷的传说

九色鹿 / 235

墨鱼做贼 / 241

乌龟旅行 / 246

猴子和鳄鱼 / 251

蚕的故事 / 255

紫荆树 / 260

鸽子树 / 265

橡树和菩提树 / 270

紫金树和茄子 / 275

水仙花 / 281

pán gǔ shì kāi tiān dì
盘古氏开天地

相传很久很久以前，天和地是连在一起的，整个宇宙就像一个大鸡蛋，里面混沌一片，漆黑一团。可是，在这片混沌与黑暗之中，却孕育了人类的祖先——盘古。

盘古是一个巨人，在"大鸡蛋"里睡了一万八千年。有一天，盘古醒了。他发现周围黑黑的，什么也看不见，心里憋闷得慌，浑身像被绑住一样难受，就决定舒展一下筋骨。

盘古不知从哪儿弄来一把斧子，用力劈过去。只听一声巨响，"大鸡蛋"被他劈开了。那些轻而清的东西慢慢上升，变成了天；那些重而浊的东西渐渐下沉，变成了地。

天地一分开，盘古觉得舒坦多了。他长长地透了口气，想站立起来，但是天却沉重地压在他的头上。盘古生怕天和地还会合起来，就使出全身的力气，头顶天，脚踩地，立在天地之间。

日复一日，年复一年，光阴过去了一万八千年。这期间，盘古吃的只是飘进嘴里的雾。他的身子一天长一丈，天和地也一天离开一丈。盘古的身子越长越

高,天和地也越离越远。直到他长成一个高九万里的巨人,天和地也被他撑开九万里。

盘古可以迈开大步在天地间行走了,再没有什么可以阻挡他的脚步;盘古可以朝天边张望了,再没有什么可以遮挡他的视线。

不知道又过去了多少年,盘古断定天地之间已经有了相当的距离,不用再担心它们会合拢了,这才躺下来休息。开天辟地耗尽了盘古所有的力气。他在熟睡中死去了。

盘古死后,他的头变成了东山,他的脚变成了西山,他的身子变成了中山,他的左臂变成了南山,他的右臂变成了北山。盘古的左眼变成了太阳,右眼变成了月亮,头发和胡须变成了天

上的星星。他嘴里呼出来的气变成了风和云雾，他的声音变成了雷霆和闪电，他的肌肉变成了大地，他的筋脉变成了道路，他的汗毛变成了花草树木，他的骨头、牙齿变成了埋藏在地下的金银铜铁、玉石宝藏，他的血液变成了滚滚的江河，他的汗水变成了雨露和甘霖。

从此，一个充满生机的世界诞生了！人类世世代代传颂着这位开天辟地的大英雄的伟大功绩。

传说一点通

　　这个故事让我们感受到一种伟大的牺牲精神。盘古倒下以后，他的身体各部分变成了太阳、月亮、星星、大山、江河、花草、树木……故事中的想象非常奇特，让我们觉得盘古并没有死去，而是获得了永恒的生命。

女娲氏造人

女娲氏是中国历史神话中人类的始祖。传说盘古氏开天地以后，女娲氏就在天地间到处游历。她看到天空中有了太阳、月亮和星星，大地上有了山川树木、花花草草，非常高兴，可又觉得缺少些什么。

于是，她正月初一创造出鸡，初二创造出狗，初三创造出羊，初四创造出猪，初五创造出牛，初六创造出马。

初七这天早晨，女娲氏来到河边。她打开黑黑的长发，轻

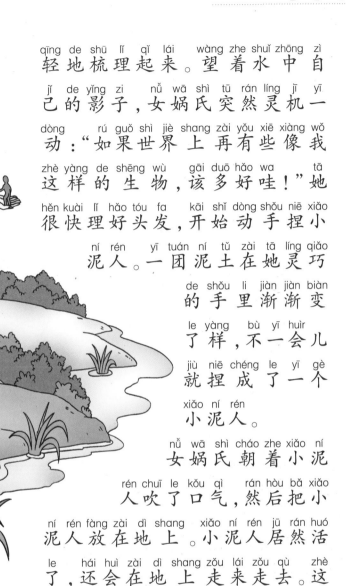

轻地梳理起来。望着水中自己的影子，女娲氏突然灵机一动："如果世界上再有些像我这样的生物，该多好哇！"她很快理好头发，开始动手捏小泥人。一团泥土在她灵巧的手里渐渐变了样，不一会儿就捏成了一个小泥人。

女娲氏朝着小泥人吹了口气，然后把小泥人放在地上。小泥人居然活了，还会在地上走来走去。这个小泥人聪明又乖巧，还不停地叫女娲氏"妈妈"。

女娲氏很喜欢自己创造的这个小生物，给他起名叫"人"。

和"人"在一起，女娲氏不再感到寂寞了。她天

天带着"人"去看花,看月亮,看星星。有一次,"人"到林子里采花,再也没有回来。女娲氏很伤心,决定多捏些小泥人陪伴自己。

女娲氏弄来泥土,不停地捏呀捏,捏出了更多可爱的小泥人。

从此,大地上就有了有思想、有智慧的人,他们成了世间万物的主宰。

女娲氏想让可爱的人遍布广阔的大地,可是这样捏太累了,也太慢了。怎样才能创造出更多的人呢?女娲氏想到一个主意——只见她折来一根

藤条,一头握在手里,一头蘸上泥浆,然后朝地面上一挥。眨眼间,溅在地上的泥点儿就变成了一个个活蹦乱跳的小人!

nǚ wā shì bù
女娲氏不
tíng de huī dòng zhe téng
停地挥动着藤
tiáo hěn kuài dà dì
条，很快大地
shang jiù dào chù dōu shì
上就到处都是
rén le kě shì shēng
人了。可是生
lǎo bìng sǐ zì rán
老病死、自然
zāi hài yòu shǐ rén de
灾害，又使人的
shù liàng bù duàn de jiǎn
数量不断地减
shǎo rú guǒ sǐ le yī
少。如果死了一
pī hái yào zài zào yī
批还要再造一

pī shí zài tài má fan le wèi le shǐ rén lèi yǒng bù miè jué nǚ wā shì
批，实在太麻烦了。为了使人类永不灭绝，女娲氏
zhōng yú xiǎng chū yī gè hǎo bàn fǎ jiù shì bǎ rén fēn wéi nán rén hé nǚ rén
终于想出一个好办法，就是把人分为男人和女人，
ràng tā men xiāng qīn xiāng ài shēng ér yù nǚ shì dài xiāng chuán cóng cǐ
让他们相亲相爱，生儿育女，世代相传。从此，
rén lèi jiù yī dài dài fán yǎn xià qù yán xù zhì jīn
人类就一代代繁衍下去，延续至今。

传说一点通

　　女娲氏造人的传说，反映了古代人民对人类起源的天真认识。随着现代科学的进步，人们早已对人类起源有了更科学的认识，但是这个古老的神话中大胆、奇特的想象，还是深深地吸引着我们。

hòu yì shè jiǔ rì
后羿射九日

yuǎn gǔ shí hou　zài dōng fāng yī gè jiào tāng gǔ de dà hú li　zhǎng
远古时候，在东方一个叫汤谷的大湖里，长
zhe yī kē jǐ qiān zhàng gāo de dà fú sāng shù　shù shang yǒu shí gēn dà zhī
着一棵几千丈高的大扶桑树。树上有十根大枝
chà　shí gè tài yáng xiàng xiǎo niǎo nà yàng qī
杈，十个太阳像小鸟那样栖
xī zài shàng miàn　tā men dōu shì tiān dì de
息在上面，他们都是天帝的
ér zi
儿子。

tiān dì měi tiān pài yī gè tài yáng chū
天帝每天派一个太阳出
xíng　qīng chén cóng dōng fāng chū fā　huáng hūn
行，清晨从东方出发，黄昏
zài xī fāng jiàng luò　gěi dà dì wàn wù dài qù
在西方降落，给大地万物带去
guāng míng hé wēn nuǎn
光明和温暖。

zhè yàng　měi gè tài yáng shí tiān cái
这样，每个太阳十天才
lún dào yī cì chū xíng　qí yú de shí jiān jiù
轮到一次出行，其余的时间就
zài tāng gǔ de dà fú sāng shù shang dāi zhe
在汤谷的大扶桑树上待着。

shí gè tài yáng xiōng dì hěn táo qì
十个太阳兄弟很淘气，
hěn xiǎng yī qǐ qù tiān kōng zhōu yóu　yǒu yī
很想一起去天空周游。有一

天，当黎明来临时，十个太阳一起上了太阳车，同时出现在天空中。

这下子，大地上的人们和万物可遭殃了。十个太阳像十个火球，把河流烤干了，把大海烤干了，农作物颗粒无收，树木也枯萎了。地上到处都燃起了大火，人们在火海里挣扎着，很多人被活活烧死。毒蛇猛兽也纷纷从山林中跑出来，攻击并伤害那些侥幸活下来的人。

当时的首领尧帝看到这些，心里非常难过。他赶紧祈求天帝，请他解除人间的

zāi nàn tiān dì yú shì zhào lái hòu yì   cì gěi hòu yì yī zhāng hóng sè de
灾难。天帝于是召来后羿，赐给后羿一张红色的

shén gōng hé yī dài bái sè de shén jiàn   zhǔ fù tā   wǒ xiàn zài pài nǐ dào
神弓和一袋白色的神箭，嘱咐他："我现在派你到

xià jiè   yī shì zhū miè nà xiē wēi hài rén lèi de dú shé měng shòu   èr shì xià
下界，一是诛灭那些危害人类的毒蛇猛兽；二是吓

xià wǒ nà shí gè táo qì de hái zi   ràng tā men guī ju xiē
吓我那十个淘气的孩子，让他们规矩些。"

hòu yì lì kè bēi zhe shén gōng hé shén jiàn lái dào rén jiān   tā pá guò
后羿立刻背着神弓和神箭来到人间。他爬过

jiǔ shí jiǔ zuò gāo shān   tāng guò jiǔ shí jiǔ tiáo
九十九座高山，蹚过九十九条

dà hé   chuān guò jiǔ shí jiǔ gè xiá gǔ   lái dào
大河，穿过九十九个峡谷，来到

le tāng gǔ
了汤谷。

hòu yì kǔ kǒu pó xīn de quàn shuō shí gè
后羿苦口婆心地劝说十个

tài yáng xiōng dì   kě tā men gēn běn bù bǎ tā
太阳兄弟，可他们根本不把他

fàng zài yǎn li   hòu yì méi yǒu bàn fǎ   zhǐ hǎo
放在眼里。后羿没有办法，只好

lā kāi shén gōng   dā shàng shén jiàn   xià hu tài
拉开神弓，搭上神箭，吓唬太

yáng xiōng dì shuō   nǐ men zài bù huí qù   wǒ
阳兄弟说："你们再不回去，我

kě yào shè jiàn la
可要射箭啦！"

shí gè tài yáng xiōng dì kuáng xiào zhe shuō
十个太阳兄弟狂笑着说：

nǐ bù guò shì fù qīn shǒu xià de jiàng lǐng
"你不过是父亲手下的将领，

gǎn duì wǒ men zěn me yàng
敢对我们怎么样？"

kàn dào shí gè tài yáng xiōng dì zhè me wú
看到十个太阳兄弟这么无

理，后羿气愤极了。他举起神弓，对准其中的一个太阳，"嗖"地射出一箭。

随着一声巨响，只见许多金色的羽毛伴着一团火球从空中掉下来。那是一只巨大的三脚乌鸦，它就是太阳本身。

天上少了一个太阳，地上立刻变凉了些，人们一齐欢呼起来。

后羿知道自己闯祸了，索性一不做二不休，一支接一支地把神箭射向天空。天空每少一个太阳，地上就多了一只三脚乌鸦。

就这样，后羿一连

射下九个太阳。正当他要射下最后一个太阳时,

尧帝拦住他说:"大神哪,天上只有一个太阳了,

不能再射了。大地也需要太阳的光和热呀!"

后羿觉得他说得有理,便收起了弓箭。

剩下的那个太阳是十兄弟中最小的一个。

他眼睁睁地看着自己的哥哥们一个个被射下去,

知道今后应该规矩些,不能再闯祸了。于是,他每天早晨都按时从东方升起,黄昏再从西方落下。从此,大地又恢复了往日的繁荣景象。

传说一点通

当不听话的太阳兄弟给人们带来巨大的灾难时,明知道太阳兄弟是天帝的儿子,后羿还是坚决地要把他们射下来。在后羿的心里,百姓的疾苦才是第一位的。后羿射下了九个太阳,拯救了百姓,所以人们歌颂他,把他当成英雄。

精卫鸟填海

传说炎帝和黄帝是中华民族共同的祖先。炎帝有一个女儿叫女娲,聪明又美丽。炎帝非常疼爱她。炎帝不仅掌管太阳,还掌管五谷和药材,终日忙碌,很少有时间陪女儿玩。

女娲很喜欢大海,经常独自到海边玩耍。她最喜欢看海上初升的太阳。望着渐渐升起的太阳,她非常好奇:"太阳住的地方是什么样的呢?太阳不在天上又会是什么样的呢?"

这天,女娃又来到海边看太阳。天气

很好，蓝蓝的大海像块巨大的宝石，泛着美丽的光彩。

"太阳可能住在海的那边呢，我要去找太阳！"女娃这样想着，便驾起小船向太阳升起的地方划去。

天很高，海很蓝，海风吹着她的头发，海鸟在她的身边飞来飞去，唱着好听的歌。女娃驾着小船，离海岸越来越远……突然，海上起了风暴，像山一样的海浪把小船打翻了。女娃在海水里挣扎着，拼命向海岸的方向游去。

一个大浪打来，把她卷进了海里。女娃被无情的大海吞没了。

女娃不甘心死去，她的灵魂化作一只

鸟，住在西山上。这只鸟长着花脑袋、白嘴壳、红脚爪，发出"精卫、精卫"的悲鸣，所以人们都叫她"精卫鸟"。

精卫鸟痛恨无情的大海夺去自己的生命，发誓要把大海填平！

从此，人们看到精卫鸟总是一刻不停地从西山上衔来小石子，或是一段小树枝，然后把它们扔进大海里。

就这样，精卫鸟整天在波涛汹涌的大海上空忙碌着，悲鸣着，好像在诉说心中的怨恨。

大海嘲笑她："小鸟，算了吧，你就是干上一百万年，也休想把我填平。"

精卫鸟却说："哪怕是填到宇宙

de jìn tóu， shì jiè de mò
的尽头，世界的末

rì， wǒ yě yī dìng huì bǎ
日，我也一定会把

nǐ tián píng
你填平！"

"nǐ wèi shén me zhè
"你为什么这

me hèn wǒ ne
么恨我呢？"

"yīn wèi nǐ duó qù
"因为你夺去

le wǒ nián qīng de shēng
了我年轻的生

mìng， jiāng lái hái huì duó qù xǔ duō nián qīng wú gū de shēng mìng， suǒ yǐ wǒ
命，将来还会夺去许多年轻无辜的生命，所以我

yào yǒng yuǎn tián xià qù， zhí dào yǒu yī tiān bǎ nǐ biàn chéng píng dì！"
要永远填下去，直到有一天把你变成平地！"

rì fù yī rì， nián fù yī nián， jīng wèi niǎo cóng lái méi yǒu tíng zhǐ guo
日复一日，年复一年，精卫鸟从来没有停止过

xián shí tián hǎi。 hòu lái， jīng wèi niǎo hé hǎi yàn jié chéng fū qī， shēng chū xǔ
衔石填海。后来，精卫鸟和海燕结成夫妻，生出许

duō xiǎo niǎo。 zhè xiē xiǎo niǎo， cí de xiàng jīng wèi， xióng de xiàng hǎi yàn。 xiǎo
多小鸟。这些小鸟，雌的像精卫，雄的像海燕。小

jīng wèi niǎo hé tā men de mā ma yī yàng， yě qù xián shí tián hǎi。 zhí dào jīn
精卫鸟和它们的妈妈一样，也去衔石填海。直到今

tiān， tā men hái zài zuò zhe zhè zhǒng gōng zuò ne
天，它们还在做着这种工作呢。

传说一点通

人们非常佩服精卫鸟顽强不屈的精神，所以常常用"精卫填海"来比喻不畏艰难、奋斗不懈的精神。成语"精卫填海"就是由这个古老的神话而来的。

kuā fù zhuī tài yáng
夸父追太阳

远古时代，在中国北方的大荒山上，住着一个巨人氏族，叫夸父族。他们力气很大，性情和气善良。夸父族是大神后土传下来的子孙，他们生活的地方很阴冷，是一个黑暗的世界。

有一天，夸父族的一个巨人望着太阳，心想："太阳每天早上从东方升起，又从西方落下，然后世界就变得黑暗起来。每天

wǎn shang tài yáng dōu yào lí kāi wǒ men rú guǒ
晚上太阳都要离开我们，如果
wǒ néng bǎ tài yáng zhuā zhù ràng tā cháng jiǔ de
我能把太阳抓住，让它长久地
liú zài tiān shàng wǒ men bù jiù kě yǐ yǒng yuǎn
留在天上，我们不就可以永远
shēng huó zài guāng míng zhōng le ma
生活在光明中了吗？"

kuā fù jué xīn yǐ dìng lì kè tí le yī
夸父决心已定，立刻提了一
gēn mù bàng mài kāi dà bù cháo tài yáng zhuī
根木棒，迈开大步，朝太阳追
qù tā zài yuán yě shang pǎo zhe xiàng fēng yī
去。他在原野上跑着，像风一
yàng kuài tā zhuī ya zhuī zhuī le jiǔ tiān jiǔ yè
样快。他追呀追，追了九天九夜，
lí tài yáng yě yuè lái yuè jìn zhōng yú tā zhuī
离太阳也越来越近。终于，他追
zhe tài yáng dào le yǔ gǔ tài yáng luò xià de dì fang
着太阳到了禺谷——太阳落下的地方。

hóng hóng de tài yáng jiù zài tā de miàn qián zhǐ yào zài zǒu jǐ bù
红红的太阳就在他的面前，只要再走几步，
tā jiù néng zhuā dào tài yáng le tū rán kuā fù gǎn dào tóu hūn yǎn huā pí
他就能抓到太阳了。突然，夸父感到头昏眼花，疲

juàn jí le tài yáng shì
倦极了。太阳是
nà me de jìn chì rè
那么的近，炽热
de tài yáng ràng tā gǎn
的太阳让他感
dào kǒu gān shé zào quán
到口干舌燥，全
shēn de shuǐ fèn hǎo xiàng
身的水分好像
dōu ràng tài yáng kǎo gān
都让太阳烤干

了。夸父觉得口渴难忍，再也走不动了，只好伏下身，去喝黄河的水。黄河的水被他喝干了，他还是感到口渴。他又转身去喝渭河的水，渭河的水也被他喝干了。

夸父实在太渴了，这些水根本不够他解渴，于是他拔腿向北方跑去，想去北方的大泽喝水。

那个大泽又叫瀚海，在雁门的北边，是鸟雀换羽毛、孵小鸟的地方，纵横几千里，一眼望不到边。可是，夸父实在太累太渴了。在赶往大泽的途中，他就支持不住了。夸父扔下手中的木棒，像大山一样倒了下去。他最后望了一

yǎn zhèng zài xī chén de
眼正在西沉的
tài yáng màn màn de bì
太阳,慢慢地闭
shàng le yǎn jing kuā fù
上了眼睛。夸父
kě sǐ le dà dì hé
渴死了。大地和
shān hé dōu yīn wèi tā
山河都因为他
de dǎo xià ér fā chū
的倒下而发出
hōng rán de zhèn xiǎng
轰然的震响。

kuā fù de qū tǐ
夸父的躯体
biàn chéng le yī zuò dà
变成了一座大
shān tā shǒu li de mù
山,他手里的木
bàng biàn chéng le yī piàn lǜ yè mào mì guǒ shí léi léi de táo lín dà jiā
棒变成了一片绿叶茂密、果实累累的桃林。大家
dōu shuō nà xiē shù lín hé guǒ shí shì kuā fù sòng gěi hòu lái zhuī gǎn tài yáng
都说,那些树林和果实是夸父送给后来追赶太阳
de rén chéng liáng jiě kě de
的人乘凉、解渴的。

传说一点通

为了能永远地留住光明,夸父勇敢地去追逐太阳,想把它抓住。虽然他没有抓住太阳,但他坚强、执着的精神非常让人敬佩,所以人们一直把他当成英雄。

神农氏尝百草

传说很久很久以前，南方有一位慈爱的大神，头上长着角，全身都是透明的，他就是神农氏炎帝，是中国农耕文化的开创者。

那时候，人们还不会种植五谷杂粮，全靠地上长出的食物来维持生命。当时，地上的人已经越来越多了，如果遇到自然灾害，大家就要挨饿。

炎帝看到这一切，心想："我为什么不能帮助大家学习种植呢？"于是招来一只神奇的大鸟。这只大鸟全身的羽毛是

红色的，从天空飞过时，把天上的云都染红了。大鸟的嘴里衔着一株九穗谷，那就是五谷的种子。

炎帝教大家把种子种在地里，不久，地里就长出了五谷。炎帝又让太阳发出足够的光和热，使五谷茁壮成长，让百姓能有收成。人们感念他的功德，便称他为"神农氏"，把他尊为农业之神。

人们不再为吃穿发愁了，但是好景不长，这些吃五谷的人又开始生起病来。

一天，炎帝从地里回来，看到一位老人坐在路边，捂着肚子，脸色苍白，额头上不停地冒着汗。

"老人家，您哪里不舒服吗？"炎帝关切地问。

"早上吃了些地里的东西，肚子难受极了！"老人吃力地说。

"您这是生病了！"炎帝看到老人难受的样子，心里非常难过。他无奈地望着四周。田野里，无名的野花开得正盛，青草的香味随着风一阵阵地飘过来。炎帝忽然眼前一亮："我为什么不能用这些花花草草为大家治病呢？"

炎帝于是亲自品尝百草，为老人寻找治病的良药。他品尝了几十种植物，终于找到一种能解除病痛的草药。

这件事让炎帝很受启发。为了帮助其他生病的人找到合适的药材，他每天都要品尝各种植物。有一天，他甚至因为品尝植物中了七十次毒！幸亏他的身体是透明的，能看到中毒的部位，并找到解毒的方法，才化险为夷。

一次，他采到一种开黄花的野草。他一边品尝，一边想："这也许是一种治病的良药呢！"谁知这种野草有剧毒，很快就把他的肠子烂断了。

天帝知道了这件事，被炎帝的精神所深深感动，不但救了他的命，还送给他一根神奇的鞭子，叫"赭鞭"。有了赭鞭，炎帝只要用它抽打草木，就知道草木有毒无毒了，而且它们的药性也能显现出来。这样，炎帝又发现了许多对人们有用的草药，并且一一掌握了它们的药性，给许多人治好了病。

炎帝仍然不满足，总想找到疗效最好的药。

一次，他不小心吃了一条百足虫。这种虫子很奇怪，一百多只脚都变成了虫，虫又长脚，脚又变虫……虫子繁殖得实在太快了，炎帝来不及用草药杀虫，无法抵御那么多虫子的噬咬，最后不幸死去了。

千百年来，人们一直怀念这位为百姓献出生命的伟大祖先。据说，今天山西的神釜冈，还有神农用过的鼎呢！

传说一点通

　　为了让大家能吃饱，神农教大家种五谷；为了让大家不再得病，神农亲自品尝百草……神农为大家做了那么多的好事，而且献出了生命，所以至今人们仍然记得他。

suì rén shì zuān mù qǔ huǒ
燧人氏钻木取火

zài yuǎn gǔ shí qī　rén men bù zhī dào yǒu huǒ　yě bù zhī dào yòng
在远古时期，人们不知道有火，也不知道用

huǒ　zhǐ néng chī shēng de shí wù
火，只能吃生的食物。

tiān shén fú xī kàn dào rén men shēng huó de shí fēn jiān nán　xīn lǐ hěn
天神伏羲看到人们生活得十分艰难，心里很

nán guò　tā dà zhǎn shén tōng　zài shān lín zhōng jiàng xià yī cháng léi yǔ　léi
难过。他大展神通，在山林中降下一场雷雨。雷

diàn pī zài shù mù shang　shù mù rán shāo qǐ lái　hěn kuài jiù biàn chéng le xióng
电劈在树木上，树木燃烧起来，很快就变成了熊

xióng dà huǒ
熊大火。

rén men bèi dà huǒ xià de sì xià táo sàn　zhǐ yǒu yī gè nián qīng rén hěn
人们被大火吓得四下逃散，只有一个年轻人很

rèn zhēn de guān chá zhe zhè yī qiè　tā fā xiàn huǒ bǎ yě shòu dōu xià pǎo le
认真地观察着这一切。他发现火把野兽都吓跑了，

来不及逃走而被火烧死的野兽还发出阵阵香味；而且，人站在火边，感觉很温暖。

年轻人立刻把大伙儿叫到火边，一边取暖，一边分吃烧过的野兽肉。这下人们都感到了火的可贵。于是大家轮流守着火种，不让它熄灭。可是有一天，值守的人睡着了。火燃尽树枝，熄灭了，人们重新陷入了黑暗和寒冷之中。

伏羲在天上看到这一切，就托梦给那个年轻人："在遥远的西方有个遂明国，那里有火种，你可以去那里把火种取回来。"

年轻人醒了，想起梦里天神说的话，决心到

suì míng guó qù xún zhǎo huǒ zhǒng   tā fān guò gāo shān shè guò dà hé   lì jìn
遂明国去寻找火种。他翻过高山，涉过大河，历尽

zhǒng zhǒng jiān xīn   zhōng yú lái dào le suì míng guó   kě shì suì míng guó méi yǒu
种 种艰辛，终于来到了遂明国。可是遂明国没有

yáng guāng   bù fēn zhòu yè   nà lǐ gēn běn méi yǒu huǒ zhǒng   nián qīng rén fēi
阳 光，不分昼夜，那里根本没有火种。年轻人非

cháng shī wàng   jiù zuò zài yī kē jiào suì mù de dà shù xià xiū xi
常 失望，就坐在一棵叫"遂木"的大树下休息。

nán dào jiù zhè yàng kōng shǒu ér guī ma
"难道就这样空手而归吗？"

nián qīng rén dāi dāi de kàn zhe dà shù shù shang yǒu
年轻人呆呆地看着大树，树上有

jǐ zhī dà niǎo zhèng zài fēi lái fēi qù
几只大鸟正在飞来飞去。

tū rán   nián qīng rén jué de yǎn qián yǒu guāng
突然，年轻人觉得眼前有光

yī shǎn   bǎ zhōu wéi zhào liàng le   tā sì chù xún
一闪，把周围照亮了。他四处寻

zhǎo qǐ lái   fā xiàn jǐ zhī niǎo zhèng zài yòng duǎn
找起来，发现几只鸟正在用短

ér yìng de huì zhuó suì mù shù shang de chóng zi
而硬的喙啄遂木树上的虫子。

zhǐ yào tā men yī zhuó   shù shang jiù huì bèng chū
只要它们一啄，树上就会迸出

míng liàng de huǒ huā
明亮的火花。

zhè bù jiù shì huǒ zhǒng ma   nián qīng rén
"这不就是火种吗？"年轻人

xīn lǐ yī liàng   lì kè zhé le yī xiē suì mù de
心里一亮，立刻折了一些遂木的

shù zhī   yòng xiǎo shù zhī qù zuān dà shù zhī   nián
树枝，用小树枝去钻大树枝。年

qīng rén nài xīn de yòng bù tóng de shù zhī jìn xíng mó
轻人耐心地用不同的树枝进行摩

cā   tā mó ya mó bù zhī dào guò le duō jiǔ
擦。他磨呀磨，不知道过了多久，

zhōng yú tā kàn dào shù zhī mào yān le jiē zhe bèng chū le huǒ huā
终于,他看到树枝冒烟了,接着迸出了火花!

wǒ zhōng yú zhǎo dào huǒ zhǒng le nián qīng rén gāo xìng de jiào qǐ lái
"我终于找到火种了!"年轻人高兴地叫起来。

nián qīng rén bǎ zhè zhǒng zuān mù qǔ huǒ de fāng fǎ dài huí le jiā xiāng
年轻人把这种钻木取火的方法带回了家乡,

rén men yīn cǐ yǒu le yǒng yuǎn bù huì xī miè de huǒ zhǒng zài yě bù yòng shēng
人们因此有了永远不会熄灭的火种,再也不用 生

huó zài hēi àn hé hán lěng zhī zhōng hái chī shàng le xiāng pēn pēn de shú shí
活在黑暗和寒冷之中,还吃上了香喷喷的熟食。

dà jiā hěn pèi fú zhè ge nián qīng rén de yǒng qì hé zhì huì tuī jǔ tā
大家很佩服这个年轻人的勇气和智慧,推举他

zuò le shǒu lǐng bìng chēng tā suì rén shì yě jiù shì qǔ huǒ zhě de yì si
做了首领,并称他"燧人氏",也就是取火者的意思。

传说一点通

因为有了火,人们再也不用生活在黑暗、阴冷
的世界中。火改变了人们的生活,也改变了世界。
发明钻木取火方法的这个年轻人,的确是一位英
雄。他用自己的勇敢和智慧为民造福。其实,燧人
氏也是千百万劳动者的缩影。

大禹治洪水

大禹姓姒，名文命，因治理洪水有功，被后人称为大禹，也就是伟大的禹的意思。

传说尧、舜任部落首领的时候，洪水经常泛滥。大禹的父亲鲧被派去治理洪水。面对滔滔洪水，鲧决定采用传统的水来土挡的办法。

鲧从天上偷来息壤筑起堤坝。息壤是一种很神奇的土，会自生自长，挖掉多少又会长出多少。鲧把人们活动的地区用息壤围起来，洪水

来时，不断加高加厚土层。但是洪水十分凶猛，结果堤坝塌了，反而给人们造成更大的损失。鲧治水九年，劳民伤财，并没有把洪水制服。

天帝知道了鲧偷息壤的事，就派天神把他杀了。鲧死后，他的肚子里忽然跳出一条虬龙。这条虬龙头上长着一对尖利的角，盘旋着跃上了天空。这就是鲧的儿子大禹。

大禹也是一个力大无比的神，他决心像父亲一样为人民治理洪水。大禹总结了以前父亲治水失败的教训，又带领助手们把水流的源头、上游、下游都考察了一遍，然后决定用疏导的办法，把洪水引到大海中去。

大禹治水惹恼了水神共工。共工是个人面蛇身的神，长着红色的头发，弯曲的蛇身上是人一样的手脚。他的大臣相柳是条大蛇，长着九个头。九个头上有九张嘴，每张嘴里吐出的东西都会变成烂泥、沼泽，不辣即苦，连野兽都无法栖息，人类更是无法生存。

共工根本没把大禹放在眼里，决定和大禹比比本领。共工把洪水掀得更高了，大水从四面八方淹过来，大地上汪洋一片。

大禹邀请各路神仙，在茅山共商治水大计。

hòu lái rén men jiù bǎ máo shān gǎi míng wéi kuài jī shān
后来，人们就把茅山改名为会稽山。

dà yǔ dài lǐng zhòng shén yǔ gòng gōng zhǎn kāi le yī cháng è zhàn
大禹带领众神与共工展开了一场恶战。

shuāng fāng shā de tiān hūn dì àn zhí dǎ le sān qī èr shí yī tiān zuì zhōng
双方杀得天昏地暗，直打了三七二十一天。最终，

dà yǔ shā sǐ le xiàng liǔ gǎn pǎo le gòng gōng qǔ dé le shèng lì
大禹杀死了相柳，赶跑了共工，取得了胜利。

dà yǔ jì xù dài lǐng zhòng shén zhì lǐ hóng shuǐ tā yòng xī rǎng bǎ jí
大禹继续带领众神治理洪水。他用息壤把极

shēn de wā dì tián píng le yòu bǎ rén lèi jū zhù de dì fang jiā gāo le nà
深的洼地填平了，又把人类居住的地方加高了。那

xiē tè bié jiā gāo de dì fang jiù chéng le wǒ men jīn tiān de sì fāng míng shān
些特别加高的地方，就成了我们今天的四方名山。

huáng hé zhōng yóu yǒu yī zuò dà shān dǔ zhù le hé shuǐ de qù lù yīn
黄河中游有一座大山堵住了河水的去路，因

cǐ zào chéng le hóng zāi yī tiān dà yǔ zhèng zài hé biān guān chá shuǐ shì
此造成了洪灾。一天，大禹正在河边观察水势，

hū rán cóng hé li tiào chū yī gè rén miàn yú shēn de guài rén
忽然从河里跳出一个人面鱼身的怪人。

那个怪人说:"我是这里的河伯,一直盼着能有人来治理河水。"说着,从怀里拿出一块水淋淋的大青石,然后转身跳进河里不见了。

大禹仔细看了看青石,发现上面有一些细细的条纹。突然,他高兴地叫起来:"这是一幅治水的地图哇!"有了这幅地图,开山引流就方便多了。

治理洪水的工作是很辛苦的,大禹没日没夜地忙碌着。他的脸晒黑了,人累瘦了,甚至连小腿肚子上的汗毛都磨光了。

终于,大山被凿开了,洪水一泻千里,向下游

流去，江河从此畅通。大禹又指挥人们凿开了一座又一座大山，疏通了一条又一条河道。

大禹为了治理洪水，到三十岁才结婚，并且婚后第四天就出门了。他公而忘私，三次路过自己的家门都没有进去看望一下自己的家人。

大禹因治理洪水有功，被推举为舜的助手。舜死后，他继任部落联盟首领。后来，大禹被诸侯们推举为夏朝的第一任天子，因此后人也称他为夏禹。

传说一点通

为了让百姓们安居乐业，大禹勇敢地站出来，带领人民治理洪水。在困难面前他毫不退缩，战胜了一个又一个困难。大禹为民造福、吃苦耐劳的精神，永远受到华夏子孙的称颂。今天的浙江绍兴，还建有一座气势雄伟的大禹陵。

cāng jié zào zì
仓颉造字

yuǎn gǔ shí méi yǒu wén zì，rén men yào jì shì qing hěn má fan，nǎo zi
远古时没有文字，人们要记事情很麻烦，脑子
jì bù zhù，zhǐ hǎo xiǎng qí tā bàn fǎ，bǐ rú jì dǎ lái de liè wù，yǒu jǐ
记不住，只好想其他办法，比如记打来的猎物，有几
zhī liè wù jiù zài shéng zi shang dǎ jǐ gè jié。dàn shì yào jì de shì qing yuè
只猎物就在绳子上打几个结。但是要记的事情越
lái yuè duō，zhè zhǒng bàn fǎ jiù bù guǎn yòng le。
来越多，这种办法就不管用了。

dāng shí de shǒu lǐng shì huáng dì，tā de shǒu xià yǒu yī gè guān yuán
当时的首领是黄帝，他的手下有一个官员
jiào cāng jié，rén fēi cháng
叫仓颉，人非常
cōng míng。huáng dì jiù
聪明。黄帝就
bǎ rú hé jì shì de nán
把如何记事的难
tí jiāo gěi le tā。
题交给了他。

zhè tiān，cāng jié
这天，仓颉
cān jiā jí tǐ shòu liè，
参加集体狩猎，
kàn dào dì shang yě shòu
看到地上野兽
de jiǎo yìn，tā tū fā
的脚印，他突发
qí xiǎng："jì rán yī
奇想："既然一

种脚印代表一种野兽，我为什么不能用一种符号来表示事物呢？"

回到家，他就开始创造各种符号来表示事物。后来这些符号的用法在各个部落传播开来，就成为最初的文字。

仓颉造了字，黄帝十分器重他，人人称赞他，他的名声越来越大。慢慢地，他开始骄傲起来，造字的事也做得不像以前那么认真了。

这天，仓颉又去各个部落教大家认字。他讲完以后，别人都走了，一个老人却还坐在那里。

仓颉上前问道："老人家，您有什么不明白的吗？"

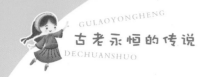

老人说:"你造的'重'字,是说有千里之远,应该念出远门的'出'字,你却教大家念成重量的'重'字。反过来,两座山合在一起的'出'字,本该为重量的'重'字,你却教成出远门的'出'字。这几个字真叫我难以琢磨,只好来请教你了。"

仓颉听了老人给自己指出的错误,非常难为情,也深知自己因为骄傲铸成了大错:这些字已经教给各个部落,传遍了天下,改都难改了。

"我闯祸了,这个祸还闯得不轻啊!"仓颉难过地哭起来。

老人拉着仓颉的手，诚恳地说："仓颉呀，你创造了字，使我们老一代的经验能记录下来，传下去，你做了件大好事，世世代代的人都会记住你的，但你千万不能骄傲自大呀！"

仓颉把老人的话牢牢地记在心里，从此以后，他每造一个字，都要将字义反复推敲，还拿去征求人们的意见，再也没有犯以前的错误。

传说一点通

造字是一件很难的事，这样难的事仓颉做到了，说明他非常聪明。但是聪明的仓颉犯了错误，那是因为他骄傲了。我们要从这件事中吸取教训，无论做什么事情，只有踏实、认真，才能把它做好。

yú gōng yí shān
愚公移山

太行和王屋两座大山方圆七百里，高达几万尺，原来位于冀州的南面、黄河的北面。

山北有位老人，叫愚公，已经九十多岁了。愚公儿孙满堂，过着幸福的晚年。但是，愚公的家正对着这两座大山，出入非常不方便。

yī tiān tā zhǎo lái jiā rén shuō mén qián de zhè liǎng zuò dà shān gěi
一天，他找来家人说："门前的这两座大山给

dà jiā dài lái bù shǎo má fan wǒ yǒu gè dǎ suàn xiǎng hé nǐ men yī qǐ bǎ
大家带来不少麻烦。我有个打算，想和你们一起把

zhè liǎng zuò dà shān bān diào wǒ men kě yǐ kāi chū yī tiáo dà lù bù guǎn qù
这两座大山搬掉，我们可以开出一条大路，不管去

nǎ lǐ dōu huì hěn fāng biàn nǐ men shuō xíng ma
哪里都会很方便，你们说行吗？"

hǎo wa hǎo wa wǒ men zǎo jiù xiǎng guo zhǐ shì méi yǒu nín zhè yàng
"好哇，好哇！我们早就想过，只是没有您这样

de jué xīn na quán jiā rén fēn fēn biǎo shì zàn tóng
的决心哪！"全家人纷纷表示赞同。

yú gōng de qī zi yǒu xiē dān xīn bān shān kě yǐ zhǐ shì wā chū
愚公的妻子有些担心："搬山可以，只是挖出

lái de nà xiē shí tou hé ní tǔ yòu wǎng nǎ lǐ rēng ne
来的那些石头和泥土又往哪里扔呢？"

dà jiā qī zuǐ bā shé de chū zhǔ yi bǎ tā men rēng dào bó hǎi de
大家七嘴八舌地出主意："把它们扔到渤海的

biān shang yǐn tǔ de běi miàn qù
边上，隐土的北面去。"

说干就干，第二天一早，愚公就率领儿子、孙子，凿石头、挖土块。

邻居也被惊动了。一位寡妇的遗腹子才七八岁，也蹦蹦跳跳地跑去帮忙。

愚公带着大家一天也不停歇地挖山，只在逢年过节才回家一次。

时间一天天过去，挖出的土越来越多，已经堆成小山那样高了，大家决定把它们运到渤海去。

这天，运土的队伍出发了。他们有的挑着担子，有的推着小车，有的两人抬着筐子，长长的队伍，一眼望不到头。

村里有一个老头，人称智叟。他看

到愚公带着大家挖山不止，就嘲笑说："你怎么傻到这种地步呢！就凭你这把年纪、这点儿力气，要拔掉山上的一棵树都不容易，

又怎么能搬掉这么多的山石土块呢？"

听了智叟的话，愚公叹了一口气，说："你简直不明事理，连那寡妇的儿子都不如！虽然我会死，可是我还有儿子呢！儿子又生孙子，孙子又生儿子，儿子又生儿子，儿子又生孙子，这样子子孙孙都不会断绝的呀！但是，太行山和王屋山是不会再增高的，难道我们还怕挖不走这两座大山吗？"

智叟听了，哑口无言，只好悻悻地走开了。

太行和王屋两座大山的山神听到愚公的这番话，担心他挖山不止，就禀告了天帝。天帝被愚

gōng jiān dìng de yí shān
公坚定的移山

jué xīn gǎn dòng le
决心感动了，

pài dà lì shén kuā é
派大力神夸娥

shì de liǎng gè ér zi
氏的两个儿子

bēi zǒu le liǎng zuò dà
背走了两座大

shān yī zuò fàng zài
山，一座放在

shuò dōng yī zuò fàng
朔东，一座放

dào yōng nán cóng cǐ
到雍南。从此

yǐ hòu cóng jì zhōu
以后，从冀州

de nán bù zhí dào hàn shuǐ de nán miàn zài yě méi yǒu dà shān dǎng lù le
的南部直到汉水的南面，再也没有大山挡路了。

yú gōng bù pà kùn nan wā shān bù zhǐ de jīng shén yī zhí wéi rén men
愚公不怕困难、挖山不止的精神，一直为人们

suǒ chēng dào
所称道。

传说一点通

九十多岁的愚公有着幸福的晚年，但他没有选择继续过平静的生活，而是决定带着子孙们挖山，改变大山给家人带来的不便。愚公一定知道他将遇到怎样的困难，但他只有一个信念——挖山。这样的勇气和执着比"聪明"的智叟要强上千百倍！在生活中，我们常常会遇到困难，只要坚持不懈，就一定会取得胜利。

yà dāng hé xià wá
亚当和夏娃

chuán shuō zài yǔ zhòu tiān dì shàng wèi xíng chéng zhī qián zhǐ yǒu hēi àn
传说在宇宙天地尚未形成之前，只有黑暗
lǒng zhào zhe wú biān wú jì de kōng xū hùn dùn shàng dì chuàng zào le tiān dì
笼罩着无边无际的空虚混沌。上帝创造了天地、
shēng wù yòu zhào zhe zì jǐ de xíng xiàng chuàng zào chū rén bìng pài tā men
生物，又照着自己的形象创造出人，并派他们
guǎn lǐ hǎi li de yú kōng zhōng de niǎo dì
管理海里的鱼、空中的鸟、地
shang de shòu lèi hé kūn chóng
上的兽类和昆虫。

jù shuō shàng dì yòng ní tǔ zào de dì
据说上帝用泥土造的第
yī gè rén shì gè yǒu xuè yǒu ròu yǒu líng hún
一个人，是个有血有肉有灵魂
de nán rén qǔ míng yà dāng
的男人，取名亚当。

yóu yú yà dāng yī gè rén hěn gū dú
由于亚当一个人很孤独，
shàng dì jiù chèn yà dāng shú shuì de shí hou
上帝就趁亚当熟睡的时候，

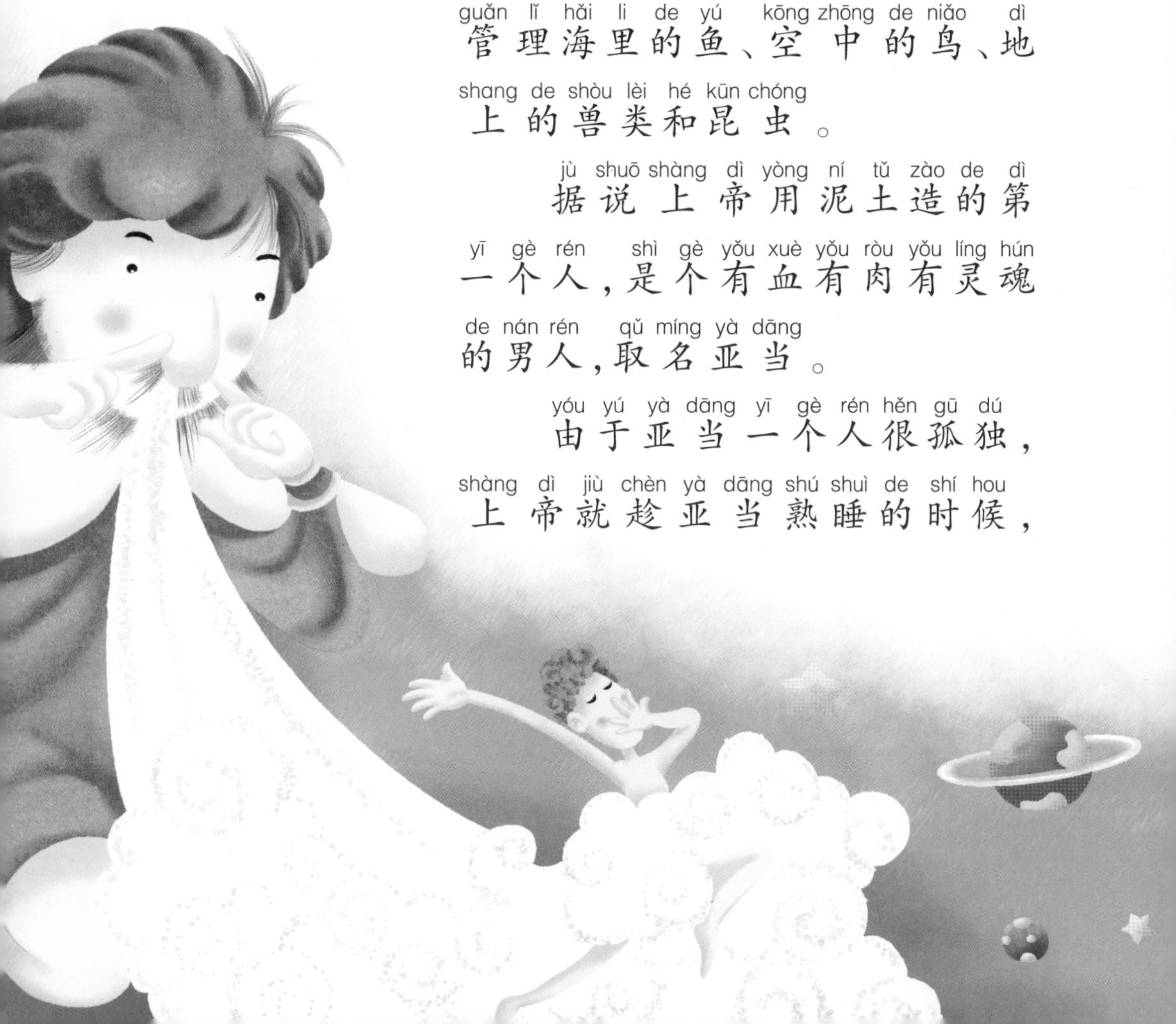

qǔ xià tā de yī gēn lèi gǔ chuàng zào le lìng yī gè
取下他的一根肋骨，创造了另一个

rén qǔ míng xià wá
人，取名夏娃。

shàng dì bǎ xià wá lǐng dào yà dāng miàn qián
上帝把夏娃领到亚当面前，

yà dāng mǎ shàng gǎn jué dào zhè ge rén yǔ zì jǐ shēng
亚当马上感觉到这个人与自己生

mìng de lián xì xīn zhōng chōng mǎn le huān xǐ tuō
命的联系，心中充满了欢喜，脱

kǒu biàn shuō zhè shì wǒ gǔ zhōng de gǔ ròu zhōng
口便说："这是我骨中的骨，肉中

de ròu wa kě yǐ chēng tā wéi nǚ rén
的肉哇！可以称她为女人。"

shàng dì zài yī diàn wèi yà dāng hé xià wá zào
上帝在伊甸为亚当和夏娃造

le yī zuò lè yuán yuán zi li zhǎng zhe gè zhǒng shù
了一座乐园。园子里长着各种树

mù huā cǎo dì shang sǎ mǎn jīn yín zhēn zhū mǎ
木、花草，地上撒满金银、珍珠、玛

nǎo shù shang guà zhe yòu hǎo kàn yòu hǎo chī de guǒ
瑙，树上挂着又好看又好吃的果

zi qīng qīng de hé shuǐ cóng cóng de liú tǎng yuán zi
子，清清的河水淙淙地流淌。园子

dāng zhōng yǒu liǎng kē dà shù tā men shì shēng mìng shù
当中有两棵大树，它们是生命树

hé zhī shàn è shù
和知善恶树。

shàng dì ràng
上帝让

yà dāng hé xià wá
亚当和夏娃

zhù zài yī diàn yuán
住在伊甸园

zhōng bìng fēn fù
中，并吩咐

他们："园子里各种树上的果子你们都可以随意吃，只有知善恶树上的果子你们不可以吃，因为吃了你们就会死。"

亚当和夏娃赤裸着身体，在伊甸园中幸福地生活着，一点儿也没有感到羞耻。

在上帝所造的万物中，蛇是最狡猾的。有一天，蛇问夏娃："上帝真的说过不许你们吃知善恶树上的果子吗？"

夏娃说："是的，上帝说吃了它我们就会死。"

蛇花言巧语地引诱夏娃："吃了它的果实就可以分辨善恶。上帝知道你们如果吃了果子，便和他一样知道善恶了，所以才骗你们的。"

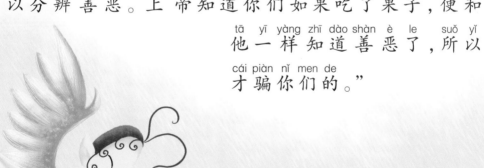

夏娃听了蛇的话，更觉得知善恶树上的果子可爱，就忍不住伸手摘了一个，然后又摘了一个给亚当。他俩一起把果子吃了。

吃了果子，两人心里突然明亮起来，产生了羞耻之心。于是，他们用无花果的叶子编成裙子，围在腰上。

这时，上帝来到园里。亚当和夏娃听见他的脚步声，连忙躲了起来。

"你们在哪里？"上帝问他们，"为什么要躲起来呢？"

亚当对上帝说："听到您的声音我就害怕。我们赤身裸体，怎么能见您哪！"

上帝生气地说："谁告诉你赤身裸体的？莫非你吃了知善恶树上的果子？"

在上帝的再三追问下，夏娃

shuō chū le zì jǐ shòu shé de yòu huò tōu chī jìn guǒ de shì
说出了自己受蛇的诱惑偷吃禁果的事。

shàng dì lì jí zé fá zuì kuí huò shǒu shé nǐ zuò le zhè shì
上帝立即责罚罪魁祸首——蛇："你做了这事，

jiù bì xū shòu dào zǔ zhòu cǐ hòu nǐ yào yòng dù zi xíng zǒu zhōng shēn yǐ
就必须受到诅咒。此后你要用肚子行走，终身以

chén tǔ wéi shí wǒ hái yào ràng nǚ rén hé nǐ shì dài wéi chóu nǐ de hòu dài
尘土为食。我还要让女人和你世代为仇，你的后代

yě hé nǚ rén de hòu dài wéi chóu nǚ rén de hòu dài yào shāng nǐ men de tóu
也和女人的后代为仇；女人的后代要伤你们的头，

nǐ de hòu dài yào shāng tā men de jiǎo gēn
你的后代要伤她们的脚跟。"

cóng nà shí qǐ shé jiù shī qù le chì bǎng hé rén shēn biàn chéng le
从那时起，蛇就失去了翅膀和人身，变成了

yī tiáo wān wān qū qū de cháng chóng
一条弯弯曲曲的长虫。

shàng dì jiē zhe duì xià wá shuō nǐ jiāng chéng shòu huái yùn shēng chǎn
上帝接着对夏娃说："你将承受怀孕、生产

de tòng kǔ bìng jiāng yǒng yuǎn yī liàn zhàng fu fèng zhàng fu wéi nǐ de zhǔ rén
的痛苦，并将永远依恋丈夫，奉丈夫为你的主人。"

zuì hòu shàng dì duì yà dāng shuō nǐ
最后，上帝对亚当说："你

jì rán tīng le qī zi de huà chī le jìn guǒ
既然听了妻子的话，吃了禁果，

jiù bì xū zhōng shēn láo kǔ cái néng cóng dì li
就必须终身劳苦，才能从地里

huò dé liáng shi tǔ dì shang de jīng jí huì cì tòng nǐ nǐ bì xū hàn liú mǎn
获得粮食。土地上的荆棘会刺痛你,你必须汗流满

miàn cái néng hú kǒu zhí zhì nǐ guī yú chén tǔ nǐ běn shì chén tǔ suǒ yǐ
面才能糊口,直至你归于尘土。你本是尘土,所以

réng yào guī yú chén tǔ
仍要归于尘土。"

shàng dì jiàn yà dāng hé xià wá yǐ jīng néng fēn biàn shàn è yòu pà tā
上帝见亚当和夏娃已经能分辨善恶,又怕他

men jì xù chī shēng mìng guǒ ér cháng shēng bù sǐ jiù bǎ tā men gǎn chū le
们继续吃生命果而长生不死,就把他们赶出了

yī diàn yuán
伊甸园。

tā yòu ān pái le zhǎng chì bǎng de tiān shǐ shǒu chí pēn fā huǒ yàn de
他又安排了长翅膀的天使,手持喷发火焰的

jiàn shǒu hù zhe yī diàn yuán bèi gǎn chū lái de yà dāng hé xià wá zài yě
剑,守护着伊甸园。被赶出来的亚当和夏娃,再也

jìn bù liǎo shàng dì de huā yuán
进不了上帝的花园。

cóng cǐ rén men shì shì dài dài gēng
从此,人们世世代代耕

zhòng tǔ dì sǐ hòu yě guī yú chén tǔ
种土地,死后也归于尘土。

传说一点通

这个故事来源于《圣经》的《创世纪》。按照故事的说法,亚当和夏娃就是我们人类的祖先。因为故事所具有的独特魅力,所以人们经常将它通过绘画、戏剧等艺术形式表现出来。《圣经》是基督教的典籍,对西方文化的发展具有极为深刻的影响。

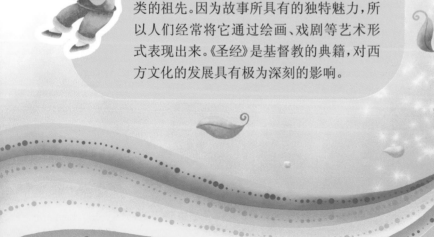

诺亚方舟

传说亚当活了九百多岁，他和夏娃的后代遍布整个大地。

许多年过去了，世界变得越来越糟：人们必须付出艰辛的劳动才能填饱肚子，因此怨恨与恶念渐渐增多，纯朴与善良逐渐减少，人与人之间开始尔虞我诈、巧取豪夺，到处充满了暴力和罪恶。

上帝看到这一切，心里十分忧伤，也非常后悔创造了人。他决

定将所创造的人和世界上的一切都毁灭，希望新一代的人和动物能悔过自新，建立一个理想的世界。

当时，有一个叫诺亚的人，非常虔诚地追随着上帝。

诺亚是个非常完美的人，对三个儿子的教育也很严格。他经常告诫周围的人不要作恶，但人们对他的话都不以为然，依然我行我素。

上帝于是选中了诺亚一家——诺亚夫妇、他们的三个儿子和媳妇，作为新一代人类保存下来。

一天，上帝告诉诺亚："世间充满了罪恶，我要把这一切全都毁灭。你用丝柏木做一只方舟，里外抹上松香。这只方舟要长五百多尺，宽八十多尺。方舟上面要有透光的窗户，旁边要开一道门。方舟要分上、中、下三层。我要让全世界洪水泛滥，消灭地上所有的一切。到时你就带着妻子、儿子和儿媳一起躲进方舟。"

上帝还告诉他，要带一些动物到方舟上：洁净的和不洁净的牲畜，每种都是雌雄一对；所有的鸟类和地上的爬虫，也是成双成对的。此外，还要带上各种吃的东西，作为他们和动物们的食物。

诺亚遵照上帝的话，一一办到了。

二月十七日那天，是诺亚六百岁生日。只见天上阴云密布，电闪雷鸣，海洋的源泉都裂开了，巨大的水柱喷射而出；天空好像裂开了一道大口子，大雨日夜不停地下着。

hóng shuǐ bù duàn shàng zhǎng bǎ gāo
洪水不断上涨，把高
shān dōu yān mò le dì shang suǒ yǒu de shēng
山都淹没了。地上所有的生
wù dōu sǐ le zhǐ yǒu fāng zhōu li de rén hé
物都死了，只有方舟里的人和
dòng wù ān rán wú yàng
动物安然无恙。

hóng shuǐ fàn làn le sì shí gè zhòu yè
洪水泛滥了四十个昼夜，
shàng dì cái jiào fēng yǔ tíng zhù
上帝才叫风雨停住。

hóng shuǐ tuì de hěn màn fēng yǔ tíng le
洪水退得很慢，风雨停了
yī bǎi duō tiān hái kàn bù dào yī piàn lù dì
一百多天还看不到一片陆地。

qī yuè shí qī rì fāng zhōu tíng zài yà
七月十七日，方舟停在亚
lā là shān shang dào shí yuè yī rì shān dǐng dà dōu lù chū le shuǐ miàn yòu
拉腊山上。到十月一日，山顶大都露出了水面。又
guò le sì shí tiān nuò yà dǎ kāi fāng zhōu de chuāng hu fàng chū yī zhī wū
过了四十天，诺亚打开方舟的窗户，放出一只乌
yā kàn kàn néng fǒu zhǎo dào lù dì hěn
鸦，看看能否找到陆地。很
kuài wū yā jiù fēi huí lái le tā yòu
快，乌鸦就飞回来了。他又
fàng chū yī zhī gē zi dàn dào chù dōu shì
放出一只鸽子，但到处都是
shuǐ gē zi yīn wèi zhǎo bù dào luò jiǎo de
水，鸽子因为找不到落脚的
dì fang yě fēi huí lái le
地方，也飞回来了。

yòu guò le qī tiān
又过了七天，
nuò yà zài cì fàng chū yī zhī
诺亚再次放出一只

gē zi bàng wǎn shí fēn gē zi xián zhe yī gēn gǎn lǎn zhī fēi le huí lái
鸽子。傍晚时分，鸽子衔着一根橄榄枝飞了回来，

kàn lái dà dì de mǒu gè dì fang yǐ jīng gān le zài děng le qī tiān nuò yà
看来大地的某个地方已经干了。再等了七天，诺亚

yòu bǎ gē zi fàng chū qù zhè huí gē zi méi yǒu fēi huí lái yīn wèi dà dì
又把鸽子放出去。这回鸽子没有飞回来，因为大地

dà duō gān le hóng shuǐ quán tuì le cóng nà yǐ hòu rén men jiù bǎ xián zhe
大多干了，洪水全退了。从那以后，人们就把衔着

gǎn lǎn zhī de gē zi dàng chéng hé píng yǔ xī wàng de xiàng zhēng
橄榄枝的鸽子当成和平与希望的象征。

yuán yuè yī rì zhè tiān liù bǎi líng yī suì de nuò yà dǎ kāi fāng zhōu
元月一日这天，六百零一岁的诺亚打开方舟

de gài zi cháo sì xià wàng qù kàn dào dì miàn
的盖子朝四下望去，看到地面

jī běn gān le dào le èr yuè èr shí qī rì
基本干了。到了二月二十七日，

dà dì quán dōu gān le
大地全都干了。

shàng dì duì nuò yà shuō nǐ men yī jiā
上帝对诺亚说："你们一家

dōu cóng fāng zhōu li chū lái ba bǎ nǐ dài shàng
都从方舟里出来吧，把你带上

fāng zhōu qù de gè zhǒng dòng wù yě dōu fàng chū
方舟去的各种动物也都放出

lái ba ràng tā men zī shēng fán yǎn biàn bù
来吧，让它们滋生繁衍，遍布

quán shì jiè
全世界。"

nuò yà biàn hé jiā rén zǒu chū fāng zhōu
诺亚便和家人走出方舟，

yòu bǎ fāng zhōu shang de dòng wù dōu fàng le chū
又把方舟上的动物都放了出

lái dòng wù men hěn kuài jiù sàn bù dào shì jiè
来。动物们很快就散布到世界

de gè gè jiǎo luò li qù le
的各个角落里去了。

wèi le gǎn xiè shàng dì nuò yà zhù le yī zuò jì tán hái xuǎn le gè
为了感谢上帝,诺亚筑了一座祭坛,还选了各

zhǒng gè yàng jié jìng de niǎo shòu zuò wéi gòng pǐn fàng zài jì tán shang fèng xiàn
种各样洁净的鸟兽作为供品,放在祭坛上奉献

gěi shàng dì
给上帝。

shàng dì wén dào le gòng pǐn de xiāng wèi xīn xiǎng wǒ zài yě bù
上帝闻到了供品的香味,心想:"我再也不

huì yīn rén lèi ràng dà dì zāo zāi huò le bù lùn rén yǒu duō shao xié niàn wǒ
会因人类让大地遭灾祸了。不论人有多少邪念,我

dōu bù huì xiàng zhè cì yī yàng shā sǐ zhè me duō shēng líng le
都不会像这次一样杀死这么多生灵了。"

传说一点通

　　大洪水的传说,在世界许多民间故事里都有描写,比如中国就有《大禹治水》。故事中出现了鸽子和橄榄枝的情节,因为鸽子带来了平安和希望,所以今天人们常常把叼着橄榄枝的鸽子当成平安、和平的象征。

pǔ luó mǐ xiū sī
普罗米修斯

pǔ luó mǐ xiū sī shì xī là shén huà zhōng zào fú rén lèi de shén cōng
普罗米修斯是希腊神话中造福人类的神,聪

huì yòu ruì zhì　tā zhī dào tiān shén de zhǒng zi yùn cáng zài ní tǔ zhōng　biàn
慧又睿智。他知道天神的种子蕴藏在泥土中,便

pěng qǐ ní tǔ　yòng hé shuǐ bǎ tā zhān shī tiáo hé qǐ lái　bìng àn zhào shì
捧起泥土,用河水把它沾湿调和起来,并按照世

jiè de zhǔ zǎi　　tiān shén de mú yàng　niē chéng rén xíng　wèi le gěi zhè xiē
界的主宰——天神的模样,捏成人形。为了给这些

ní rén yǐ shēng mìng　tā cóng dòng wù de shēn shang shè qǔ shàn yǔ è liǎng
泥人以生命,他从动物的身上摄取善与恶两

zhǒng tè xìng　bìng jiāng tā men zhù
种特性,并将它们注

rù rén de xiōng táng　jiù zhè yàng
入人的胸膛。就这样,

dì yī pī rén zài dì shang
第一批人在地上

chū xiàn le　　tā men fán yǎn
出现了。他们繁衍

shēng xī　biàn bù gè chù
生息,遍布各处。

dāng shí　zhòu sī
当时,宙斯

hé tā de ér zi shì tiān
和他的儿子是天

dì jiān de zhǔ zǎi　tā men
地间的主宰。他们

jiàn pǔ luó mǐ xiū sī
见普罗米修斯

创造了人类，就提出要求说，只要人类服从他们，他们就给人类以保护。

第一次神与人的联席会议，要决定把动物的哪一部分给神，哪一部分给人类。

普罗米修斯切开一头牛，把它分成两部分：一堆放上肉、内脏和脂肪，用牛皮盖起来，上面放着牛肚子；另一堆更大一些，放的全是牛骨头，却用肥肉把它包起来，因为他知道自私的宙斯爱吃肥肉。

宙斯看穿了他的把戏，认为普罗米修斯偏袒人类，欺骗他，决定对普罗米修斯进行惩罚。他拒绝向人类提供生活必需的最后一样东西——火。

"怎样才能让人类得到火呢？"机敏的普罗米修斯马上想出了巧妙的办法。他拆下一根又粗又长的茴香秆，扛着它来到天上。当太阳神驾着烈焰熊熊的太阳车从空中经过时，普罗米修斯便把茴香秆伸到它的火焰里点燃，然后带着燃烧的火种回到大地上。火种点燃了木柴堆，火越烧越旺，火光直冲云霄。

宙斯见人间升起了火光，大发雷霆，决定惩罚人类。

宙斯命令火神赫菲斯托斯用黏土做成美女潘多拉，意为"具有一切天赋的女人"，送给普罗米修斯的兄弟厄庇米修斯做妻子。宙斯不但给这个美女的灵魂注入恶毒的祸水，还让众神都馈赠给她一件危害人类的礼物，然后把这些恶毒的礼物装进一只精美的盒

子里，让潘多拉带给厄庇米修斯。

潘多拉捧着盒子来到厄庇米修斯的面前，请他收下宙斯的赠礼。厄庇米修斯心地善良，根本没有想到这个盒子会带来什么恶果。

普罗米修斯曾经警告过弟弟，不要接受宙斯的任何赠礼。但是面对美丽的潘多拉，厄庇米修斯忘记了这个警告。他毫无戒备地伸出双手，准备去接盒子。谁知，潘多拉突然打开盒子，结果藏在盒子里的疾病、疯狂、罪恶、嫉妒等祸患一齐像一股黑烟似的飞了出来。这些祸患无声无息，无影无踪，一眨眼的工夫就布满了整个大地。

盒子里还有个唯一美好的东西——希望，但潘多拉遵

照宙斯的命令，把盒子盖上了，所以，希望就永远地留在了盒子里。

从那时起，各种各样的灾难便充斥了大地、天空和海洋，疾病、痛苦、绝望……它们在人类世界悄无声息地蔓延着。因为宙斯不让它们发出声音，所以人们根本不知道它们什么时候来，也没有办法抵御它们的到来。普罗米修斯看到自己创造的人类正遭受着痛苦，伤心极了。

宙斯对普罗米修斯的惩罚并没有结束。他下令把普罗米修斯锁在高加索山崖上。普罗米修斯的脚下就是万丈深渊，他被直挺挺地吊着，双手、双脚都被铁链缚着，胸口上还钉着一颗金刚石的钉子。他不能入睡，不能休息，还要忍受饥

渴、疼痛和风吹雨淋。每天都有一只神鹰来啄食普罗米修斯的肝脏。夜间伤口愈合了,天一亮神鹰又来了。但普罗米修斯宁愿受折磨,也不肯屈服。

三十年后的一天,宙斯之子赫拉克勒斯为了寻找金苹果来到这里。他射死恶鹰,解放了普罗米修斯,并带他离开了山崖。

宙斯知道后大发雷霆。为了平息他的怒火,赫拉克勒斯把马人喀戎带来,做了普罗米修斯的替身。

喀戎为了解救普罗米修斯,甘愿献出自己的生命。

为了彻底执行宙斯的判决,普罗米修斯的手腕上必须永远戴着一只铁环,环上镶着一块高加索山上的石头。

传说一点通

在希腊神话中,普罗米修斯的故事非常有名。普罗米修斯敢于为人类代言,为人类去盗火,却因此受到了残酷的处罚。他不畏强暴的精神,一直为人们所歌颂。

智慧女神雅典娜

zhì huì nǚ shén yǎ diǎn nà

在希腊众神中,有一个女神能预见众神的命运,她就是大地女神。

一天,大地女神对众神之王宙斯说:"你犯了一个严重的错误,厄运正等着你呢。你的妻子墨提斯将给你生下一个儿子。这个小家伙的力量和胆量将超过奥林匹斯山上所有的神,也会超过你。他将不服从你的统治。到那时,你就大难临头了!"

如果别人这样说,宙斯或许不会信,但这话是大地女神亲口说的,宙斯不得不信。

宙斯打定主意:决不让这件可怕的事发生。

宙斯找到墨提斯，显出特别开心的样子："亲爱的，我无时无刻不在想着你。想着你的样子，幸福就会来到我的心里……"宙斯把好听的话说了一大堆。

墨提斯对宙斯的话虽然半信半疑，但她还是把事情往好处想，觉得这是宙斯真心爱她的表现。

为了不让那个可怕的儿子出生，宙斯把墨提斯哄睡着，然后一口把墨提斯吞到了肚子里。

"哦，危险总算过去了。"宙斯感到非常安慰。

但是，他的身体却发生了一些奇怪的变化，而且头痛难忍，越来越厉害。为了摆脱痛苦，他召来火神赫菲斯托斯。

"劈开我的脑袋！"宙斯命令道。

"什么？您真的要我这样做吗？"赫菲斯托斯为难地问。

"是的！劈开！马上给我劈开！"宙斯咬牙

切齿地说。

面对众神之王

宙斯的命令，火神不

敢违抗。他犹犹豫豫地

举起巨大的铁锤，打在

宙斯的头上！

宙斯的头裂开了，一位体态婀娜、披坚执锐、光彩照人的女神从他的头中走了出来。只见她头上戴着金盔，身上披着铠甲，手执长矛和盾牌，样子美丽端庄，淡蓝色的眼睛里放射出神圣的智慧之光，她就是智慧女神雅典娜。雅典娜不仅拥有惊人的美貌，还吸收了父亲的力量。

传说雅典娜成为雅典的守护神，和她与海神波塞冬之间的争斗有关。

为了争当雅典的守护神，

yǎ diǎn nà hé bō sài dōng zuì hòu dá chéng xié yì shéi néng wèi rén lèi tí gōng
雅典娜和波塞冬最后达成协议：谁能为人类提供

zuì yǒu yòng de dōng xi shéi jiù kě yǐ chéng wéi yǎ diǎn de shǒu hù shén
最有用的东西，谁就可以成为雅典的守护神。

zhǐ jiàn bō sài dōng yòng tā de sān chā jǐ qiāo dǎ dì miàn biàn chū le
只见波塞冬用他的三叉戟敲打地面，变出了

yī pǐ zhàn mǎ yǎ diǎn nà zé biàn chū yī kē gǎn lǎn shù rén men zuì zhōng
一匹战马，雅典娜则变出一棵橄榄树。人们最终

xuǎn zé le dài biǎo hé píng yǔ ān níng de gǎn lǎn shù yīn cǐ yǎ diǎn nà jiù
选择了代表和平与安宁的橄榄树，因此雅典娜就

chéng le yǎ diǎn de bǎo hù shén
成了雅典的保护神。

yǎ diǎn nà xīn líng shǒu qiǎo hái shi yì shù gōng yì hé fù nǚ shǒu
雅典娜心灵手巧，还是艺术、工艺和妇女手

gōng zhī shén jīng cháng jiāo
工之神，经常教

fù nǚ pēng rèn fǎng zhī
妇女烹饪、纺织。

zài xī là zōng jiào zhōng
在希腊宗教中，

rén men gèng duō de bǎ yǎ
人们更多地把雅

diǎn nà dàng chéng hé píng
典娜当成和平

nǚ shén
女神。

传说一点通

人们一直以来都把雅典娜当作美丽和智慧的化身。在这位女神的身上，有人们所希望的一切美好的东西。我们相信，雅典娜的力量和能力一定在波塞冬之上，但是她不和波塞冬交战，却选择了"智取"，这更加表现了她的智慧。

太阳神阿波罗

太阳神阿波罗是希腊奥林匹斯山十二主神之一，掌管太阳、青春、医药、音乐、诗歌，并代表众神之王宙斯宣告神旨。

阿波罗是宙斯和黑暗女神勒托的儿子。他还没出生，母亲就被宙斯的妻子——众神之母赫拉赶出了奥林匹斯山。她不许勒托上天，也不许她下地，更不许她去大海。众神因为惧怕赫拉，谁也不敢收留勒托。勒托无家可归，只得四处流浪。

孩子就要出生了，勒托痛苦地呻吟着。

"孩子怎么办呢？我们怎么生活呀！"勒托伤心地哭了起来。

宙斯听到勒托的哭声，立刻

找来风神,让他想办法帮助勒托。

风神也很害怕赫拉,但他还是想了一个办法。他吹来一块土地落在爱琴海上,又用四根金刚石柱子把这块土地撑起来,变成一个浮岛。

在浮岛的山洞里,勒托生下了一对龙凤胎:男孩阿波罗和女孩阿耳忒弥斯。这个浮岛就是后来人们朝拜太阳神的圣地——提洛岛。

阿波罗渐渐长成一个英俊的少年。他有一把七弦琴和一支短笛,可以吹奏天籁般美妙的旋律;他还精通箭术,总是百发百中;他又是医药之神,把医术传给人们。

一次,阿波罗来到一个叫克得撒的小镇。小镇风景如画,到处是盛开的鲜花,小鸟在林间鸣叫,

淙淙的小溪一路欢跳着流向远方。但是，这里的人却遇到了麻烦：山中的一个石洞里，住着一条大毒蛇，经常出来吃人。有的人吓得逃走了，留下来的人也整天提心吊胆地过日子。

阿波罗决心为民除害。他找到了蛇洞，只见周围怪石嶙峋，到处都是枯死的野草和树木，看上去阴森恐怖。还没走到洞口，他就闻到一阵阵腥风从里面吹出来。

突然，洞里传出一阵奇怪的声音，阿波罗立刻警觉起来。

"唰——"大毒蛇从洞里探出头来，张开血盆大口，想一口吞掉阿波罗。

阿波罗拉开弓，一箭就把大毒蛇射死了。镇

上的人知道阿波罗为民除了害，都非常感激他。为了表示敬意，他们在小镇上修建了一座阿波罗神庙。

阿波罗杀死大毒蛇后十分得意，不管什么时候都把弓箭背在身上。

一天，他遇见了爱神厄洛斯。看到这个小家伙也背着一把弓箭，阿波罗就嘲笑他说："小家伙，你这种玩具有什么用？只有我的弓箭才能把大毒蛇射死呢！"

厄洛斯很生气，决定好好教训教训阿波罗。他拿出一支燃烧着爱情火焰的箭射中了阿波罗，又把另一支能驱散爱情火焰的箭射向了仙女达佛涅。

中了爱情之箭的阿波罗立刻爱上了达佛涅，热烈地向她表达自己的爱意："我是伟大的太阳神阿波罗，我是最爱你的人……"

达佛涅却一点儿也不为所动，拼命逃避，想躲开阿波罗。渐渐地，达佛涅跑不动了，阿波罗仍在紧紧地追赶。达佛涅正好跑到父亲管辖的地方，就向父亲大声呼救："父亲，救救我，只要能远离阿波罗，我宁愿变成一棵树！"

她的愿望立刻变成了现实。阿波罗追到河边，突然发现美丽的达佛涅不见了，只有一棵月桂树在风中轻轻地舞动着枝条。

　　阿波罗伤心极了。他采下月桂树的枝叶编成一顶花冠戴在头上,以此来表达他对达佛涅不变的爱情。

　　以前,神灵法厄每天都会驾驶着太阳车出行。有一次,太阳车翻了,法厄也死了。阿波罗请求宙斯让他来驾驶太阳车。从那以后,每天黎明,太阳神阿波罗都会登上金色的太阳车,拉着缰绳,高举神鞭,巡视大地,给世界送来光明和温暖。

传说一点通

　　在希腊神话中,阿波罗是多才多艺的,也是最俊美的天神。他除了是太阳神之外,还是预言之神。因为他从不说谎,所以还被奉为真理之神。

yuán xiāo jié
元宵节

正月十五是元宵节，元就是开始，宵就是晚上。它是中国的传统节日。按中国民间的传统，正月十五要点各色彩灯庆贺，还要出门赏月，燃放焰火，喜猜灯谜，共吃元宵，以示合家团聚，同庆佳节。这个节日也和一个传说有关。

相传，汉武帝时有个宫女名叫"元宵"，不但人长得可爱，而且做的元宵也特别好吃，大家都非常喜欢她。由于宫女不准出宫，元宵只得整天在宫里做杂事，而且一住就是五年。五年了，不能回

家也不知道家人消息的元宵十分想念他们。

"怎样才能见到我的家人呢?"元宵为这事伤透了脑筋。她把自己的心事告诉了好朋友。好朋友想了半天,突然说:"你不如去找东方朔先生帮个忙,他的主意可多呢!"

这个东方朔可不同一般人。他是汉武帝非常欣赏的大臣,性情诙谐幽默,而且聪明机智,还是个大文学家。

"我怎么没想起来!"元宵一拍脑门。她早就对东方朔先生佩服得不得了。

这天,东方朔正在宫里办事,忽然来了一个小宫女。"先生,请用点心!"小宫女说着,端

shàng yī wǎn yuán xiāo
上一碗元宵。

dōng fāng shuò gāng hǎo máng de méi gù shàng chī fàn jiù bù kè qi de
东方朔刚好忙得没顾上吃饭，就不客气地
jiē guò yuán xiāo chī le qǐ lái
接过元宵吃了起来。

hǎo hǎo xì nì xiāng huá zhēn shì hǎo yuán xiāo dōng fāng
“好，好，细腻、香滑……真是好元宵！”东方
shuò sān kǒu liǎng kǒu chī xià yuán xiāo rěn bù zhù kuā zàn dào
朔三口两口吃下元宵，忍不住夸赞道。

nǐ jiào shén me míng zi a dōng fāng
“你叫什么名字啊？”东方
shuò wèn xiǎo gōng nǚ
朔问小宫女。

wǒ jiào yuán xiāo xiǎo gōng nǚ shuō
“我叫元宵！”小宫女说。

hā hā guài bu de nǐ de yuán xiāo zuò
“哈哈，怪不得你的元宵做
de zhè me hǎo dōng fāng shuò kāi xīn de shuō
得这么好！”东方朔开心地说。

tū rán tā hǎo xiàng xiǎng qǐ le shén me wèn
突然，他好像想起了什么，问
dào hǎo hǎo de nǐ sòng wǒ yuán xiāo zuò shén
道：“好好的，你送我元宵做什
me yī dìng shì yǒu shì zhǎo wǒ ba
么？一定是有事找我吧？”

xiǎo gōng nǚ yī tīng zhè huà lì kè
小宫女一听这话，立刻
guì xià shuō qiú qiú xiān sheng
跪下说：“求求先生……”

tā bǎ zì jǐ de xīn shì xiàng dōng fāng shuò
她把自己的心事向东方朔
xì xì shuō le
细细说了。

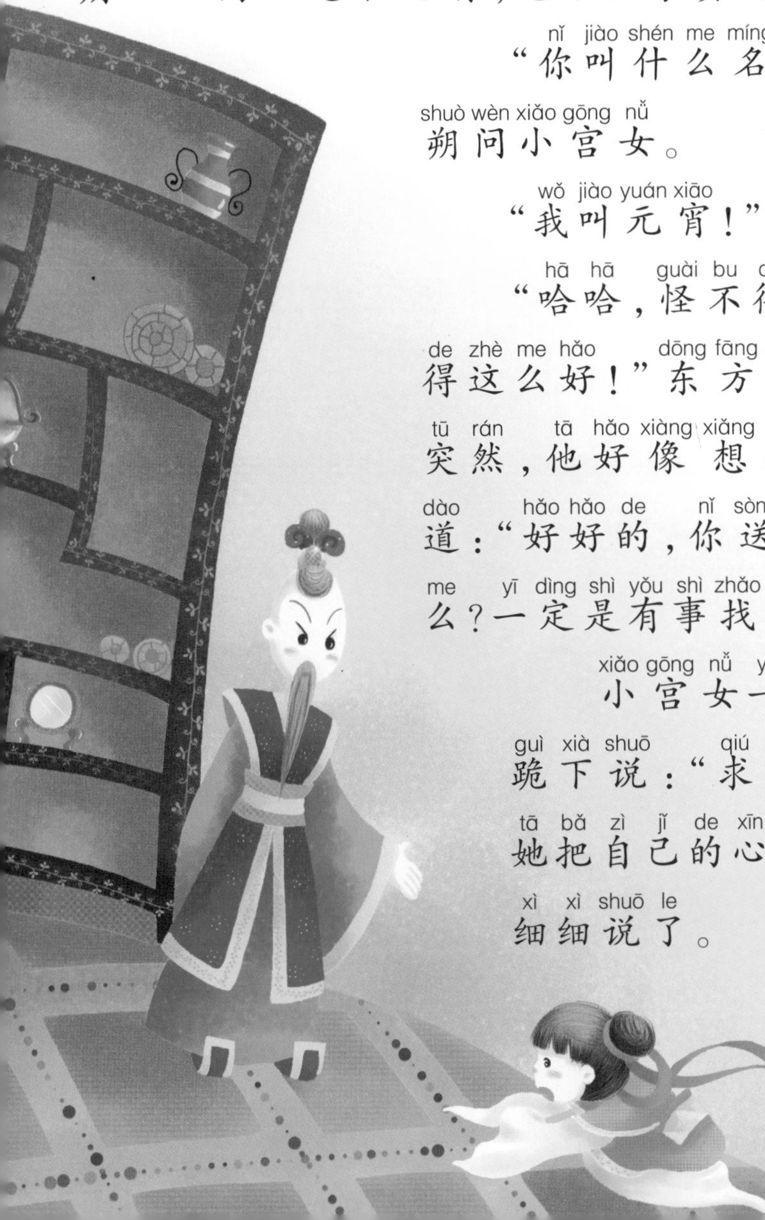

东方朔非常同情这个小宫女，便答应帮她想办法。

"最简单的办法是帮你悄悄跑出宫去见家人，神不知鬼不觉的。这个容易，我来帮你安排。"东方朔安慰小宫女。

小宫女伤心地说："可是离家的时候我还小，连住的地方都说不清楚，我就是出去了，也不知道该上哪儿找他们哪！"

"这倒是个问题！得想个办法让家人知道你活着，让他们来找你就方便多了。"东方朔说。

过了几天，人们看到城里最热闹的地方来了一个算卦先生。因为他抽签算卦特别准，所以求签的人也特别多。

又过了些日子，大家再去求签，却出了一件怪事：抽到的签上面的内容都是一样的，说正月十六这天长安有个火节，就是天女要来烧长安。

众人着急地问："那怎么办呢？"

算卦先生说："找皇上，让皇上想办法！"

长安要被火烧的消息很快传到汉武帝的耳朵里。汉武帝也很着急，就把点子最多的东方朔找了来，问他怎么办。

东方朔说："听说天女非常爱吃元宵。正月十五晚上让大家做好元宵，皇上您焚香上供，并传令京城家家户户都做元宵，一起敬奉天女，再让百姓在家门口都挂起灯笼。这样，天女在吃元宵的时候就

huì kàn dào yī piàn 'huǒ hǎi', huì yǐ wéi cháng ān yǐ jīng zháo huǒ, bù jiù bǎ
会看到一片'火海',会以为长安已经着火,不就把

tā mēng piàn guò qù le ma
她蒙骗过去了吗?"

hàn wǔ dì tīng le, shí fēn gāo xìng, jiù chuán zhǐ àn zhào dōng fāng shuò
汉武帝听了,十分高兴,就传旨按照东方朔

de bàn fǎ qù zuò
的办法去做。

dào le zhēng yuè shí wǔ zhè tiān, cháng ān dà jiē xiǎo xiàng dōu guà mǎn le
到了正月十五这天,长安大街小巷都挂满了

dēng long, ér qiě měi zhǎn dēng long shang dōu xiě zhe "yuán xiāo" liǎng gè zì。 lí
灯笼,而且每盏灯笼上都写着"元宵"两个字。离

huáng gōng bù yuǎn chù, hái bàn le yī gè dēng huì, guà de quán dōu shì huáng
皇宫不远处,还办了一个灯会,挂的全都是皇

gōng li zuò de gè sè cǎi dēng, jì qì pài yòu piào liang。 chéng li de bǎi xìng
宫里做的各色彩灯,既气派又漂亮。城里的百姓

dōu pǎo qù kàn dēng, rén shān rén hǎi, dēng huǒ tōng míng, zhēn shì rè nao jí le。
都跑去看灯,人山人海,灯火通明,真是热闹极了。

huáng dì xīn lǐ gāo xìng, yě pǎo qù shǎng dēng。 dōng fāng shuò chéng jī
皇帝心里高兴,也跑去赏灯。东方朔乘机

bǎ xiǎo gōng nǚ yuán xiāo dài dào dēng huì shang
把小宫女元宵带到灯会上。

yuán xiāo de jiā rén zhè tiān yě lái guān dēng, dāng tā men kàn dào dēng long
元宵的家人这天也来观灯,当他们看到灯笼

上写满"元宵",便惊奇地高喊:"元宵!元宵!"

元宵听到喊声,很快找到了家人。一家人终于团聚了。

如此热闹了一夜,长安城里果然平安无事。汉武帝大喜,便下令以后每到正月十五就做元宵供奉天女,并且全城挂灯、放烟火。从此,每年的正月十五,人们又观灯又吃元宵,喜庆又吉祥,久而久之就演变成了后来的元宵节。

传说一点通

现代生活中,吃元宵已经成了很普通的事。人们根据自己的喜好又制作出了各种口味的元宵。因为元宵是用糯米粉做的,而且比较油腻,不太容易消化,所以小朋友们不要多吃。

清明节
qīng míng jié

清明节是中国民间传统节日，大约始于周代，有两千五百多年的历史。

清明最开始是一个很重要的节气。清明一到，气温升高，正是春耕春种的大好时节。后来，由于清明与寒食的日子接近，而寒食是民间禁火扫墓的日子，渐渐地，寒食与清明就合二为一了，寒食甚至成了清明的别称。关于寒食，还有一个故事。

相传春秋时期，晋献公的妃子骊姬为了让自己的儿子奚齐继位，就设计谋害太子申生。申生被逼自

杀。申生的弟弟重耳、夷吾为了躲避祸害，只好离开自己的国家，流亡国外。

当年，重耳在国内受宠时，好多大臣都纷纷讨好他；当他流亡国外时，原来跟着他的大臣陆陆续续弃他而去，只有一个叫介子推的，始终忠心耿耿地跟随着他。

有一次，他们接连走了好几天，带的食物早就吃光了。重耳又累又饿，结果晕了过去。介子推为了救重耳，四处寻找食物。但是四周荒无人烟，什么吃的也没有。

为了救重耳，介子推找到一把刀，从自己腿上割下一块肉，用火烤熟了送给重耳吃。重耳吃了肉，马上恢复

了体力。当他看到介子推腿上的伤
口，才明白是介子推用自己的肉救了
他的命。重耳暗暗发誓：以后如果成了国君，一定
要好好报答介子推。

十九年后，重耳果然回国做了晋文公，后来还
成了著名的春秋五霸之一。

晋文公执政后，开始对那些与他同甘共苦的
大臣大加封赏，却唯独忘了介子推。有人劝介子
推去找晋文公，介子推却一笑了之。

终于有一天，有人在晋文公面前提起了介子

tuī jìn wén gōng zhè cái měng rán xiǎng qǐ guò qù de shì tā mǎ shàng pài rén
推，晋文公这才猛然想起过去的事。他马上派人

qù qǐng jiè zǐ tuī qián lái shòu shǎng
去请介子推前来受赏。

kě shì chāi rén qù le hǎo jǐ tàng jiè zǐ tuī dōu méi yǒu lái jìn wén
可是，差人去了好几趟，介子推都没有来。晋文

gōng zhǐ hǎo qīn zì qù qǐng dàn shì jiè zǐ tuī zǎo yǐ bēi zhe mǔ qīn pǎo dào
公只好亲自去请，但是介子推早已背着母亲跑到

mián shān yǐn jū qǐ lái
绵山隐居起来。

jìn wén gōng yòu ràng yù lín jūn shàng shān sōu suǒ dàn shān lín céng céng
晋文公又让御林军上山搜索。但山林层层

dié dié nǎ lǐ zhǎo de dào jiè zǐ tuī de zōng yǐng ne yǒu rén gěi jìn wén gōng
叠叠，哪里找得到介子推的踪影呢。有人给晋文公

chū zhǔ yì bù rú fàng huǒ shāo shān sān miàn diǎn huǒ liú xià yī fāng jiè
出主意："不如放火烧山，三面点火，留下一方，介

zǐ tuī yī dìng huì zì jǐ zǒu chū lái
子推一定会自己走出来。"

jìn wén gōng yú shì xià lìng fàng huǒ shāo shān
晋文公于是下令放火烧山。

dà huǒ shāo le sān tiān sān yè shǐ zhōng bù jiàn jiè
大火烧了三天三夜，始终不见介

zǐ tuī chū lái dà huǒ xī miè hòu jìn wén gōng qīn
子推出来。大火熄灭后，晋文公亲

zì dài rén shàng shān xún zhǎo zài yī kē shāo jiāo de
自带人上山寻找。在一棵烧焦的

dà liǔ shù xià tā men zhǎo dào le jiè zǐ tuī mǔ zǐ
大柳树下，他们找到了介子推母子

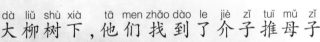

的尸体。晋文公放声大哭，下令为介子推举行盛
大的葬礼。

为了纪念介子推，晋文公下令把绵
山改为介山，又在山上建立了祠堂，
并把放火烧山的这一天定为寒食节，
断火吃冷食三天。

第二年寒食节，晋文公又
来到山上祭奠介子推，只见
那棵老柳树死而复活，又长出
了新枝。晋文公非常高兴，给
那棵复活的老柳树赐名"清明
柳"，又把寒食节的第二天定为
"清明节"。

传说一点通

清明节是二十四节气之一。清明一到，春回大
地，神清气爽，春耕春种，开始忙碌。清明节又是我
国的传统节日，是祭祖和扫墓的日子。汉族和一些
少数民族大多在清明节扫墓，以示对逝者的悼念。

duān wǔ jié
端午节

农历五月初五，是中国民间传统节日——端午节，端午也称端五、端阳等。

过端午节要悬挂菖蒲、艾草，佩香囊，赛龙舟，荡秋千，吃咸蛋、粽子和时令鲜果等，这些风俗和许多传说有关，其中以大诗人屈原的传说流传最广。

战国时期，楚国和秦国争夺霸权。才华横溢、为人正直又很有政治远见的屈原，早年深受楚怀王的器重，位居左徒、三闾大夫。由于遭到小人的诬陷和

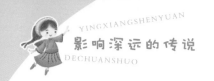

chǔ huái wáng de shū yuǎn　qū yuán bèi zhú chū dū chéng　hòu lái　chǔ huái wáng
楚怀王的疏远，屈原被逐出都城。后来，楚怀王

bèi piàn dào qín guó　bìng bèi qiú jìn qǐ lái　sān nián hòu sǐ zài le qín guó
被骗到秦国，并被囚禁起来，三年后死在了秦国。

qǐng xiāng wáng jí wèi hòu zhěng tiān chī hē wán lè　bù lǐ cháo zhèng
顷襄王即位后整天吃喝玩乐，不理朝政，

guó jiā yī tiān tiān shuāi ruò xià qù
国家一天天衰弱下去。

huí dào dū chéng de qū yuán kàn zài yǎn li　jí zài xīn lǐ　tā duō cì
回到都城的屈原看在眼里，急在心里。他多次

quàn shuō qǐng xiāng wáng yào yǐ guó jiā lì yì wéi
劝说顷襄王要以国家利益为

zhòng　fù guó qiáng bīng　dǐ yù wài dí de qīn
重，富国强兵，抵御外敌的侵

fàn　bìng wèi lǎo bǎi xìng duō zuò shí shì　kě qǐng
犯，并为老百姓多做实事。可顷

xiāng wáng fēi dàn bù tīng　fǎn ér jiāng qū yuán liú
襄王非但不听，反而将屈原流

fàng dào yáo yuǎn de mì luó jiāng biān　duì chǔ guó
放到遥远的汨罗江边。对楚国

guó shì de shēn qiè yōu niàn hé wèi lǐ xiǎng ér xiàn
国事的深切忧念和为理想而献

shēn de jīng shén　ràng qū yuán suí hòu xiě xià le
身的精神，让屈原随后写下了

dà liàng jié chū de shī piān
大量杰出的诗篇。

chǔ guó dū chéng yǐng bèi qín guó dà jiàng bái
楚国都城郢被秦国大将白

qǐ gōng pò shí　yǐ shì liù shí duō suì de qū
起攻破时，已是六十多岁的屈

yuán gǎn dào zì jǐ wú lì wǎn jiù zǔ guó xīn lǐ yǒng qǐ wú xiàn de bēi tòng
原感到自己无力挽救祖国，心里涌起无限的悲痛
hé suān chǔ tā dú zì yī rén lái dào mì luó jiāng biān wàng zhe gǔn gǔn de
和酸楚。他独自一人来到汨罗江边，望着滚滚的
jiāng shuǐ yǎng tiān cháng tàn rú guǒ dāng chū wǒ néng shuō fú dà wáng rú
江水，仰天长叹："如果当初我能说服大王，如
guǒ wǒ néng zài duō xiē kǎo lǜ rú guǒ xiàn zài yī qiè dōu wǎn le tài
果我能再多些考虑，如果……现在，一切都晚了，太
wǎn le shēn shēn de wáng guó zhī tòng ràng tā bēi tòng bù yǐ sì hū zhǐ yǒu
晚了！"深深的亡国之痛让他悲痛不已，似乎只有
tóu rù dào jiāng shuǐ li cái néng xǐ qù tā wú biān de tòng kǔ qū yuán zuì hòu
投入到江水里，才能洗去他无边的痛苦。屈原最后
wàng le yī yǎn zì jǐ shēn ài de zǔ guó zòng shēn yuè rù le mì luó jiāng
望了一眼自己深爱的祖国，纵身跃入了汨罗江。

nà tiān tiān yīn chén chén de hǎo xiàng rén men chén zhòng de xīn qíng
那天，天阴沉沉的，好像人们沉重的心情。

sān lǘ dà fū tóu jiāng zì jìn le zhè ge xiāo xi hěn kuài jiù zài chǔ guó bǎi xìng zhōng chuán kāi le
"三闾大夫投江自尽了！"这个消息很快就在楚国百姓中传开了。

jiāng biān de xiǎo jiǔ diàn li kè rén men dōu zài qiǎo shēng yì lùn zhe lián hē jiǔ de xīn qíng yě méi le
江边的小酒店里，客人们都在悄声议论着，连喝酒的心情也没了。

pēng de yī shēng diàn zhǎng guì līn lái yī tán jiǔ yòng lì fàng dào zhuō zi zhōng yāng gè wèi zhè jiǔ wǒ qǐng le dū chéng gōng pò le qū dà fū tóu jiāng le tā shì xiǎng ràng zhū
"砰——"的一声，店掌柜拎来一坛酒，用力放到桌子中央："各位！这酒我请了。都城攻破了，屈大夫投江了。他是想让诸

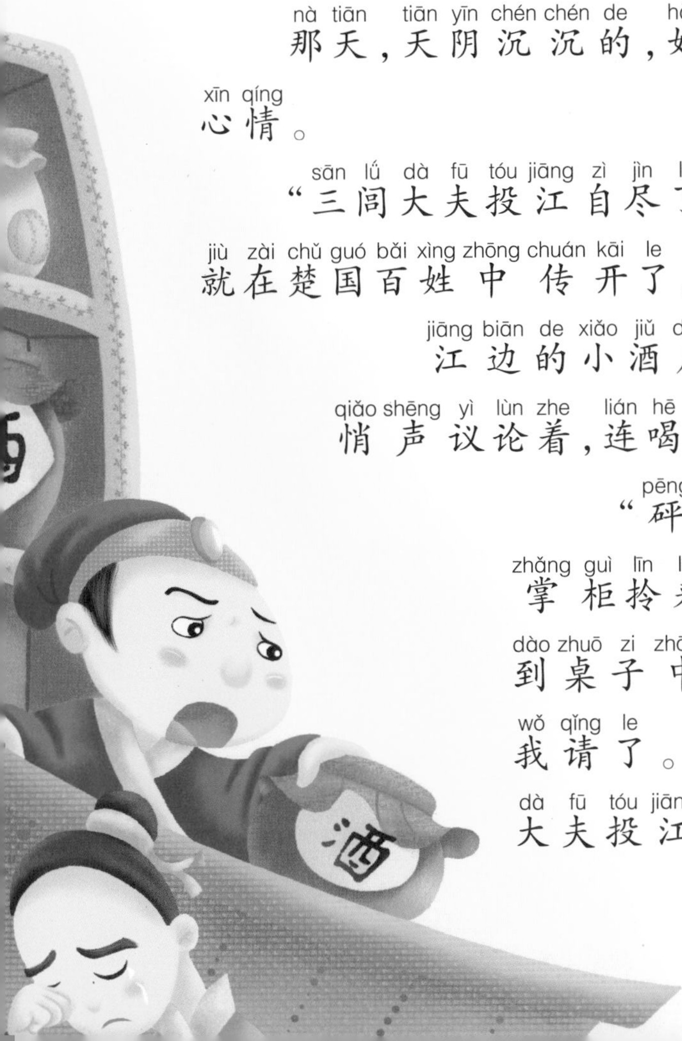

wèi hǎo hǎo xiǎng xiǎng jīn hòu de rì zi gāi zěn me guò tā shì wèi wǒ men bǎi
位好好想想今后的日子该怎么过。他是为我们百

xìng tóu de jiāng wǒ men kě bù néng ràng tā sǐ bù jiàn shī a
姓投的江，我们可不能让他死不见尸啊！"

shì a wǒ men děi zhǎo dào tā
"是啊！我们得找到他！"

kuài qù zhǎo kě bù néng ràng yú xiā shāng hài qū dà fū
"快去找，可不能让鱼虾伤害屈大夫！"

tīng le diàn zhǎng guì de zhè yī fān huà dà jiā jiǔ yě bù hē le lì
听了店掌柜的这一番话，大家酒也不喝了，立

kè zhǎo chuán zhǎo gōng jù zhǔn bèi qù jiāng li dǎ lāo qū dà fū
刻找船找工具，准备去江里打捞屈大夫。

hěn kuài rén men jià zhe xiǎo chuán cóng sì miàn bā fāng gǎn le guò lái
很快，人们驾着小船从四面八方赶了过来。

jiāng shang quán shì dǎ lāo de xiǎo chuán
江上全是打捞的小船。

yǒu wèi lǎo dà ye yī biān lāo yī biān wǎng shuǐ li rēng fàn tuán shú jī
有位老大爷一边捞，一边往水里扔饭团、熟鸡

dàn děng shí wù
蛋等食物。

lǎo dà ye nín zhè shì gàn shén
"老大爷，您这是干什

me ya yǒu jǐ gè rén qí guài de wèn
么呀？"有几个人奇怪地问。

lǎo dà ye shuō ràng yú lóng xiā
老大爷说："让鱼龙虾

xiè chī bǎo le tā men jiù bù huì shāng
蟹吃饱了，它们就不会伤

hài qū dà fū le
害屈大夫了。"

duì ya xióng huáng jiǔ yě yǒu
"对呀！雄黄酒也有

用！"一位老中医说，"可以将蛟龙、水兽药晕，这样它们就不会伤害屈大夫了。"

大家听了，纷纷从家里拿来饭团、熟鸡蛋、雄黄酒等，扔到江里……

后来，人们用楝树叶包饭团，再在外面绕上彩带，就发展成现在的粽子。

从那以后，每年的五月初五，就有了龙舟竞渡、吃粽子、喝雄黄酒的风俗，人们以这样的方式纪念爱国大诗人屈原。

传说一点通

屈原是中国文学史上第一个最伟大、最杰出的浪漫主义诗人。过端午的习俗一直保持了两千多年，人们对屈原的纪念也延续了两千多年。这足以说明人们对屈原的热爱和他在人们心中有极高的地位。

中秋节
zhōng qiū jié

传说尧帝的时候，天上十个太阳并出，结果花草树木都枯死了，猛兽、恶鸟、毒蛇成为祸害。这时，一个叫后羿的天神挺身而出，为民除害——不但射下了九个太阳，还射杀了猛兽、恶鸟、毒蛇，天下重新变得太平、安宁。

可是，被射下的九个太阳都是天帝的儿子，后羿因此闯下大祸，得罪了天帝。天帝把后羿和他的妻子嫦娥惩罚到人间，让他们再也不能回到天上。

hòu yì zài rén jiān hěn shòu rén men de ài dài dàn tā de qī zi cháng
后羿在人间很受人们的爱戴，但他的妻子嫦
é yī xiǎng dào yǐ hòu huì xiàng fán rén yī yàng de sǐ qù jiù zhěng tiān chóu
娥一想到以后会像凡人一样地死去，就整天愁
méi bù zhǎn fēi cháng bù kāi xīn
眉不展，非常不开心。

kàn dào měi lì de qī zi zhěng tiān bù kāi xīn hòu yì hěn nán guò dàn
看到美丽的妻子整天不开心，后羿很难过，但
shì tā yě xiǎng bù chū shén me hǎo bàn fǎ
是他也想不出什么好办法。

yī tiān cháng é hū rán duì hòu yì
一天，嫦娥忽然对后羿
shuō wǒ tīng shuō xī fāng de kūn lún shān shang
说："我听说西方的昆仑山上
zhù zhe xī wáng mǔ tā nà lǐ yǒu bù sǐ
住着西王母。她那里有不死
yào chī le kě yǐ cháng shēng bù lǎo
药，吃了可以长生不老。"

hòu yì fēi cháng gāo xìng shuō shì
后羿非常高兴，说："是
a wǒ yě tīng shuō guo zěn me wàng jì
啊，我也听说过，怎么忘记
le wǒ míng tiān jiù qù kūn lún shān xiàng xī
了！我明天就去昆仑山，向西
wáng mǔ qiú cháng shēng bù lǎo yào
王母求长生不老药！"

dì èr tiān yī zǎo hòu yì jiù gào bié
第二天一早，后羿就告别
le cháng é qí shàng bái mǎ bēi shàng xíng
了嫦娥，骑上白马、背上行
zhuāng chū fā le
装出发了。

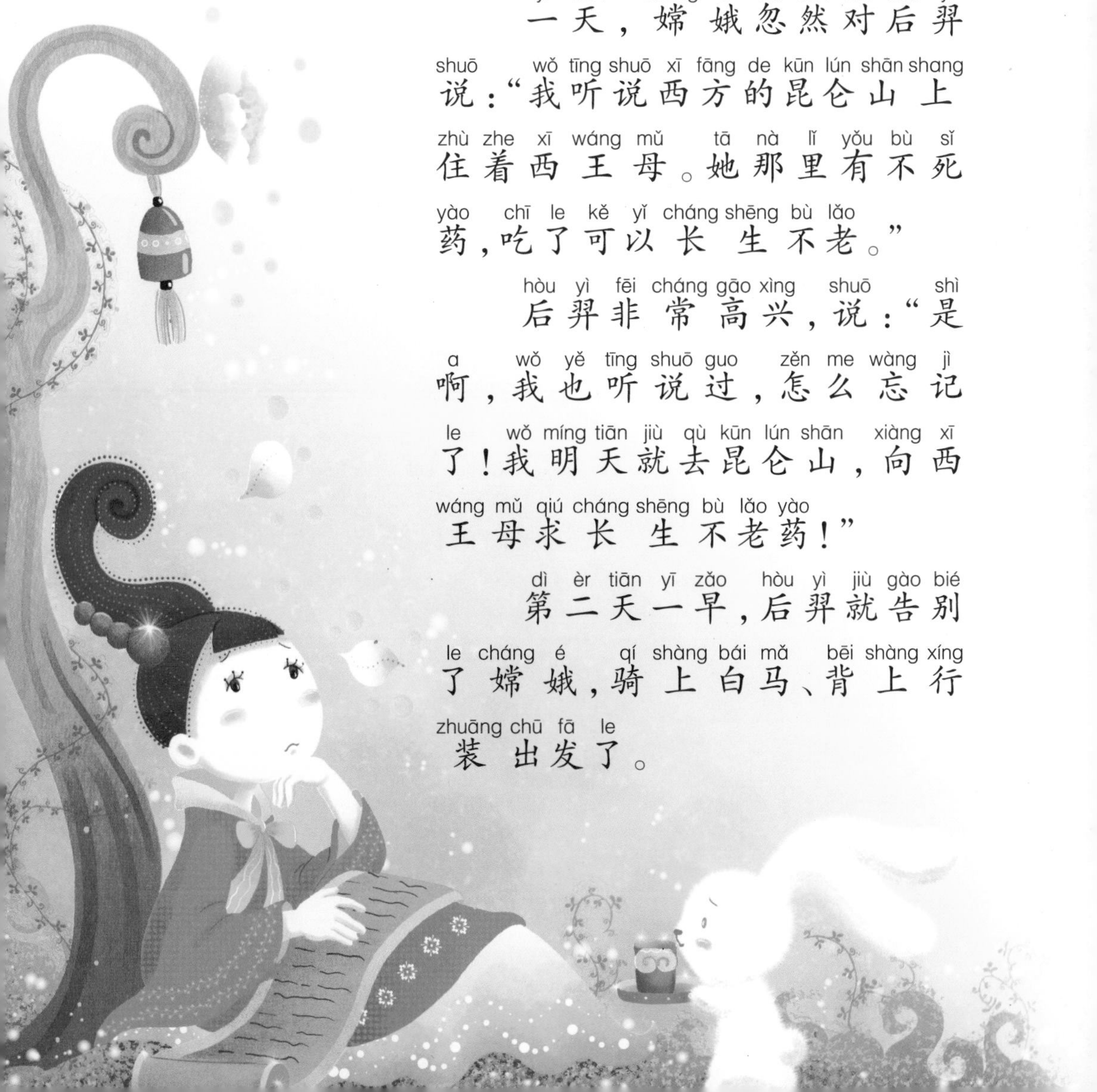

昆仑山是西方的一座大山,路途非常遥远,要翻过无数的高山,走过无边的森林,穿过茫茫的沙漠……

后羿一步也不停歇,最后终于来到了昆仑山。

西王母见后羿能独自来到昆仑山,知道他有着非凡的神力。当她得知后羿前来的目的后,很钦佩后羿为民除害的行为,也很同情他受到的不公平待遇,就给了他一大包足够两个人吃的长生不老药。

后羿辞别西王母,拿着长生不老药,又历尽千辛万苦,回到了家里。他让嫦娥把长生不老药保管好,等选个好日子,夫妻两人一起把药吃了。

后羿有个徒弟叫蓬蒙,是个奸诈的小人。他看见嫦娥将长生不老药藏进梳妆台的百宝箱里,就一心想偷吃,好让自己升天成仙。

bā yuè shí wǔ zhè tiān　 hòu yì dài zhe tú dì men wài chū dǎ liè　 péng
八月十五这天,后羿带着徒弟们外出打猎,蓬

méng jiǎ zhuāng shēng bìng　 méi hé hòu yì yī qǐ qù
蒙假装　生病,没和后羿一起去。

péng méng jiàn hòu yì zǒu yuǎn le　 biàn chuǎng jìn hòu yì de jiā li
蓬蒙见后羿走远了,便 闯 进后羿的家里。

cháng é dú zì zài jiā　 jiàn péng méng lái le　 bù zhī dào chū le shén me shì
嫦娥独自在家,见蓬蒙来了,不知道出了什么事。

péng méng zhuāng zuò hěn zháo jí de yàng zi shuō　 shī fu tū rán bìng
蓬蒙 装 作很着急的样子说:"师傅突然病

le　 ràng wǒ lái qǔ cháng shēng bù lǎo yào
了,让我来取长 生不老药!"

cháng é tīng le mǎn xīn yí huò　 xīn xiǎng　 gāng cái zǒu shí hái hǎo
嫦娥听了满心疑惑,心想:"刚才走时还好

hǎo de　 zěn me tū rán jiù shēng bìng le ne　 tā dìng le dìng shén　 duì péng
好的,怎么突然就生病了呢?"她定了定神,对蓬

méng shuō　 wǒ xiān qù kàn kàn tā　 yào de shì huí lái zài shuō
蒙说:"我先去看看他,药的事回来再说。"

péng méng jiàn cháng é bù kěn ná
蓬蒙见嫦娥不肯拿

yào　 lì kè biàn le liǎn tā shuā de
药,立刻变了脸。他"唰"地

yī xià chōu chū bǎo jiàn　 è hěn hěn de
一下抽出宝剑,恶狠狠地

shuō　 kuài bǎ cháng shēng bù lǎo yào jiāo
说:"快把长 生不老药交

出来！不然我就先杀了你，再杀你丈夫！"

嫦娥生气地说："你这个卑鄙小人！我死也不会把药交给你！"

蓬蒙想去抢药，嫦娥早已把药拿在手里。她知道自己斗不过蓬蒙，情急之下便把所有的药都吞进肚里。

嫦娥立刻觉得自己的身体变轻了，然后像一片羽毛一样飞了起来。

蓬蒙愣住了。等他手忙脚乱地去抓嫦娥时，嫦娥已飞向窗外。他急忙追出屋，却发现嫦娥早已飞远了。

由于牵挂着丈夫，嫦娥便飞到离人间最近的月亮上停了下来。

傍晚，后羿回到家，知道了家里发生的变故，

又惊又怒。他立刻拿上弓箭去找蓬蒙，可是蓬蒙早已不知去向了。

心如刀绞的后羿仰望着夜空，深情地呼唤着妻子嫦娥。突然，他惊奇地发现，皎洁的月亮中有个晃动的身影，酷似妻子嫦娥，就拼命朝月亮追去。可是他追赶三步，月亮就退三步；他退三步，月亮就进三步。后羿急了，拿起弓箭向月亮射去。没想到月亮抖动了一下，反而升得更高了。后羿无奈地望着月亮。他知道，从此以后，再也见不到妻子嫦娥了。

后羿非常想念妻子嫦娥，就来到妻子嫦娥喜爱的后花园，摆上香案，放上她平时

最爱吃的点心和鲜果，遥望月宫里的妻子。

乡亲们得知嫦娥奔月成仙的消息后，也纷纷在月下摆放香案，向美丽、善良的嫦娥仙子祈求吉祥、平安。

此后，每年的八月十五，后羿和乡亲们都会在月光下祭月，寄托对嫦娥的思念。这个习俗从此一代一代传下去。由于农历八月十五正值中秋，人们就把这一天定为"中秋节"。

传说一点通

中秋节是我国仅次于春节的一个重要节日。关于中秋节的传说有很多，且大多与月亮有关。圆圆的月亮象征着思念和团圆。人们会在这一天和家人团聚，一起赏月、吃月饼，感受着浓浓的亲情，或祝远方的亲人健康快乐，和家人"千里共婵娟"。

chóng yáng jié
重阳节

chuán shuō dōng hàn shí qī   rǔ hé yǒu gè hěn lì hai de wēn shén   zhǐ
传说东汉时期,汝河有个很厉害的瘟神,只

yào tā yī chū xiàn   jiā jiā dōu yǒu rén bìng dǎo   yán zhòng de hái huì sàng mìng
要它一出现,家家都有人病倒,严重的还会丧命。

dāng dì de lǎo bǎi xìng dōu hěn hài pà wēn shén   què méi shén me hǎo bàn fǎ
当地的老百姓都很害怕瘟神,却没什么好办法。

yǒu gè jiào héng jǐng de nián qīng rén   yīn wèi wēn shén guāng gù le tā
有个叫恒景的年轻人,因为瘟神光顾了他

jiā   fù mǔ dōu sǐ le   tā zì jǐ yě chà diǎnr   sàng le mìng
家,父母都死了,他自己也差点儿丧了命。

jīng guò hǎo cháng shí jiān de zhì liáo   héng jǐng de shēn tǐ cái màn màn huī
经过好长时间的治疗,恒景的身体才慢慢恢

fù   xiǎng dào wēn shén gěi xiāng qīn men hé zì jǐ de jiā rén dài lái de kǔ
复。想到瘟神给乡亲们和自己的家人带来的苦

nàn   héng jǐng jué xīn chú diào wēn shén
难,恒景决心除掉瘟神。

tā cí bié le xiāng qīn   dào hěn yuǎn de dì fang
他辞别了乡亲,到很远的地方

fǎng xiān xué yì   yī nián nián   yī tiān tiān   héng jǐng fǎng
访仙学艺。一年年,一天天,恒景访

遍了名山大川,却始终没能学到仙术。

一天,他走进一座大山里。这里前不着村,后不着店,他不知道该往哪儿去。突然,从山林中飞来一只仙鹤。仙鹤停在他的面前,向他轻声鸣叫,好像在为他指路。

恒景跟着这只仙鹤走进一个道观,这里住着一位武艺高强的仙长。

"我要找到除掉瘟神的办法,为父母和乡亲们报仇!"恒景把家乡发生的事一股脑儿都说给仙长听。

仙长笑着说:"你真是个有志气的孩子,我收你为徒!"

在仙长的指点下,恒景很快练就了一身好武艺。这天,仙长把恒景叫到跟前说:"明天是九月初九,瘟神又要出来作恶了。你本领已经学成,应该回去为民除害!"

临走前，仙长送给恒景一把降妖剑、一包茱萸叶和一盏菊花酒，同时传授他一套避邪的法术。

恒景告别仙长，骑着仙鹤赶回家中。初九的早晨，他按仙长的叮嘱把乡亲们领到附近的山上，然后把茱萸叶、菊花酒分给众人。

中午时分，山中传出几声可怕的怪叫，然后伴着一阵阴风，瘟神冲出了汝河。瘟神准备像以往那样冲到村里施魔法，却闻到了茱萸和菊花酒的香气。瘟神戛然止步，脸色突变。他正想逃跑，却被手持降妖剑的恒景迎面拦住。

面对勇敢的恒景，瘟神心里有些害怕，急着想逃命。恒景却毫不相让，手持宝剑与瘟神厮杀起来。他越战越勇，十几个回合就把温神刺死了。

乡亲们从此摆脱了瘟神的魔爪，而九月初九登高避疫的风俗也年复一年地传了下来。

在《易经》中九是阳数，九月初九两九相逢，故称重阳。据史料记载，魏晋时期就有了重阳日饮酒赏菊的做法；到了唐代，重阳被正式定为民间节日；明代，更有了官民登高望远、食重阳糕的习俗。

如今的重阳节又有了新的含义。1989年，我国把重阳节定为老人节，寓意健康长寿，将传统与现代结合，赋予了重阳节敬老爱老的新内容。

传说一点通

　　恒景学成本领，为乡亲们除了害。这说明，做事情不但要有明确的目标，还要有毅力、有恒心。九九重阳，因为与"久久"同音，九在数字中最大，所以有长久长寿的含意。而且，重阳节在秋季，也是一年收获的黄金季节，人们对此节历来有着特殊的感情。

chú xī
除夕

chú xī shì zhǐ nóng lì yī nián zuì hòu yī tiān de yè wǎn yǔ chūn jié
除夕是指农历一年最后一天的夜晚，与春节
zhēng yuè chū yī shǒu wěi xiāng lián zhè ge yè wǎn wéi rào chú jiù bù xīn hé xiāo
正月初一首尾相连。这个夜晚围绕除旧布新和消
zāi qí fú jiā jiā hù hù dōu yào rán fàng biān pào tiē duì
灾祈福，家家户户都要燃放鞭炮、贴对
lián guà dēng long děng zhè xiē huó dòng dōu yǔ yī gè chuán
联、挂灯笼等。这些活动都与一个传
shuō yǒu guān
说有关。

xiāng chuán gǔ shí hou yǒu yī zhǒng jiào
相传古时候有一种叫
nián de guài shòu tóu shang zhǎng zhe jiān jiǎo
“年”的怪兽，头上长着尖角，
xiōng měng yì cháng nián shēn jū hǎi dǐ měi dào
凶猛异常。年深居海底，每到
chú xī jiù pá shàng àn lái tūn shí shēng chù
除夕就爬上岸来吞食牲畜、
shāng hài rén mìng lǎo bǎi xìng zhǐ dé fú lǎo xié
伤害人命。老百姓只得扶老携
yòu táo wǎng shēn shān duǒ bì nián de shāng hài
幼逃往深山，躲避年的伤害。

yǒu yī nián de chú xī qīng shān
有一年的除夕，青山
cūn de xiāng qīn men zhèng máng zhe shōu
村的乡亲们正忙着收
shi dōng xi táo wǎng shēn shān cūn wài
拾东西逃往深山，村外

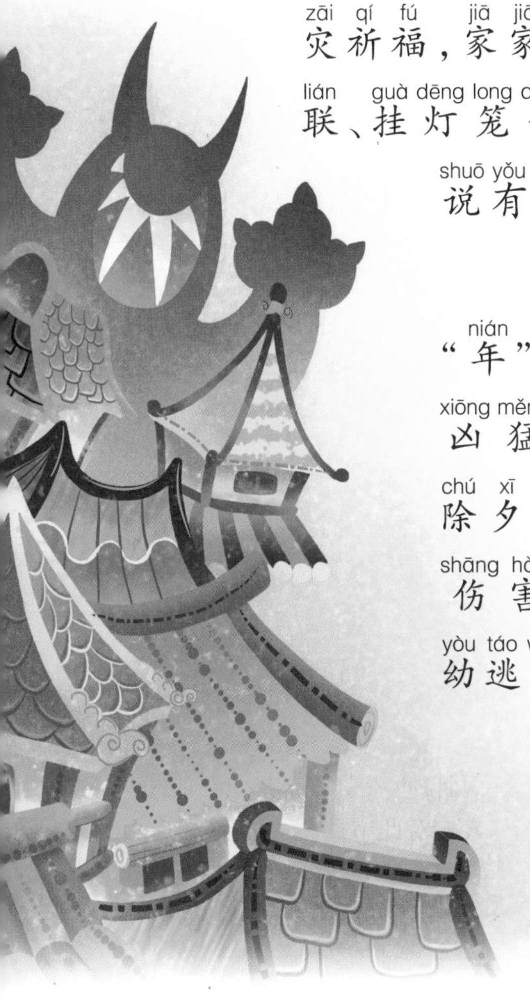

来了一位白发老人。"我能在谁家住一夜吗?"白发老人问。村里的人都只顾着逃命,谁也没有答应他。

有个老婆婆好心地劝白发老人说:"年就要来了,他可凶啦,会要了你的命的!你还是快跟我们逃命去吧!"白发老人说:"只要让我在这里住一晚,我一定能将年驱走。"

老婆婆不忍心眼睁睁地看他白白送命,仍苦口婆心地劝他,但白发老人就是不听。老婆婆没有办法,只好给他留了些吃的,让他在自己家里过夜。

村里的人都走光了,四周静悄悄的,一点儿声音都没有。半夜里,年像以往一样闯进村子,准备大闹一场。

年发现老婆婆家里灯火通明,门上还贴了一张

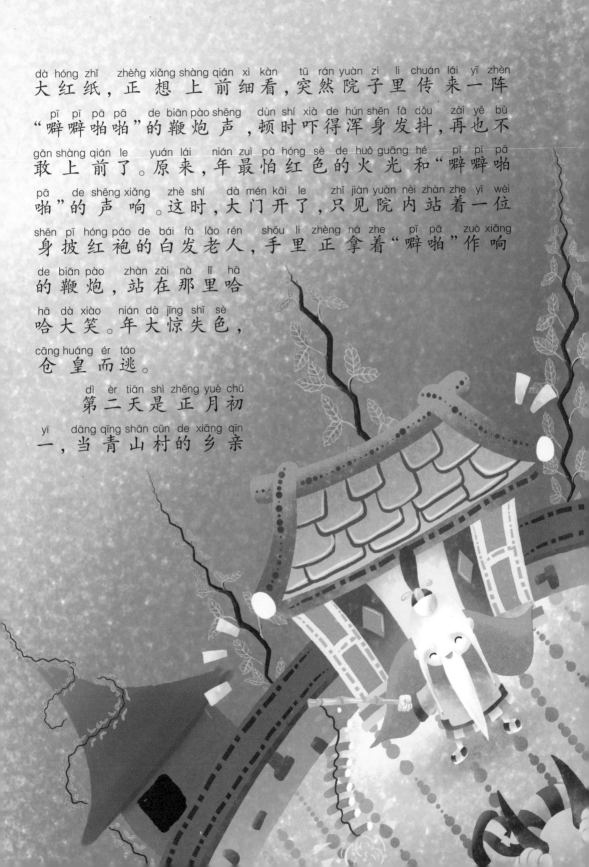

大红纸，正想上前细看，突然院子里传来一阵"噼噼啪啪"的鞭炮声，顿时吓得浑身发抖，再也不敢上前了。原来，年最怕红色的火光和"噼噼啪啪"的声响。这时，大门开了，只见院内站着一位身披红袍的白发老人，手里正拿着"噼啪"作响的鞭炮，站在那里哈哈大笑。年大惊失色，仓皇而逃。

第二天是正月初一，当青山村的乡亲

们从深山回到村里时，发现一切安然无恙，白发老人却早已不见踪影。人们恍然大悟：原来白发老人是帮助大家驱逐年的神仙！

乡亲们在老婆婆的家中发现了白发老人驱逐年的三件法宝：红对联、爆竹和灯火。从此以后，人们就用这种方法驱逐年，过上了平安、快乐的日子。

这个风俗越传越广，最后成了中国民间最隆重的传统节日——过年。

传说一点通

除夕时，人们围坐在一起吃年夜饭、守岁、放鞭炮，以各种方式庆祝过去一年的结束，庆祝新的一年的到来。除夕的第二天就是春节，春节也是我国重要的传统节日。

huǒ bǎ jié
火把节

chuán shuō　hěn zǎo yǐ qián　tiān shàng hé　dì xia dōu shēng huó zhe xǔ duō
传　说，很早以前，天上和地下都生活着许多

shén xiān　tiān shàng yǒu gè dà lì shì jiào sī rě ā bǐ　lì qi tè bié dà
神仙。天上有个大力士叫斯惹阿比，力气特别大，

néng jiāng dà shān bēi zhe pǎo　dì shang yě yǒu gè dà lì shì jiào ā tǐ lā
能将大山背着跑。地上也有个大力士叫阿体拉

bā　néng bǎ dà shān bào qǐ lái fàng dào lìng yī gè dì fang
叫，能把大山抱起来放到另一个地方。

sī rě ā bǐ hé ā tǐ lā bā dōu tīng shuō guo duì fāng　kě tā men
斯惹阿比和阿体拉叫都听说过对方，可他们

liǎng gè cóng méi jiàn guo miàn　yě cóng méi bǐ shi guo　suǒ yǐ dào dǐ shéi de lì
两个从没见过面，也从没比试过，所以到底谁的力

qi gèng dà xiē　hái zhēn bù hǎo shuō
气更大些，还真不好说。

yǒu yī tiān　sī rě ā bǐ de
有一天，斯惹阿比的

péng you duì tā shuō　nǐ wèi shén me
朋友对他说："你为什么

bù hé ā tǐ lā bā bǐ bǐ ne　nán
不和阿体拉叫比比呢？难

dào nǐ pà tā bù
道你怕他不

chéng　sī rě ā
成？"斯惹阿

bǐ ràng péng you shuō
比让朋友说

de hěn nǎo huǒ　mǎ
得很恼火，马

上说："我才不怕他哩！凭我的本事，要打败那个阿体拉叭易如反掌。我要让他知道，谁才是天下第一！"

于是，斯惹阿比就写了一封战书，请人送给阿体拉叭，说要在第二天太阳下山后和他比摔跤。

阿体拉叭收到战书一点儿也不觉得害怕，还说："好哇，我早就听说过斯惹阿比，能和他比武真是太好了！要是能向他学几招，那收获就更大了！"

第二天一大早，阿体拉叭就把摔跤的衣服准备好了，还把比武的场地打扫得干干净净。

眼见太阳快要下山了，阿体拉叭的朋友急急忙忙跑来求他："快帮我个忙吧，我的弟弟走进山里找不到了。"

"我和斯惹阿比约好，要和他比摔跤呢！"阿体拉叭为难地说。

"天一黑，我的弟弟就很难找了！"朋友着急地说。

阿体拉叭一听，立刻跟着朋友走了。他出门的时候对母亲说："如果有朋友来，先请他吃点儿铁饼，我一会儿就回来！"

阿体拉叭刚走，斯惹阿比就到了。阿体拉叭的母亲抱歉地对斯惹阿比说："有个孩子走进山里迷了路，我儿子帮着找去啦。请你先坐会儿吧。"

"怎么找？他有什么好方法吗？"斯惹阿比好奇地问。

阿体拉叭的母亲笑笑说："他把山抱起来抖一抖，就什么东西都会掉下来了！"

斯惹阿比一听暗暗佩服："看来他不但力气大，还很聪明哩！"

阿体拉叭的母亲拿出一盘铁饼，还端来一

碗铁砂子做的粥:"我儿子说请你先吃点儿点心。"

斯惹阿比吓得脸都变了色:"他既然把铁饼当饭吃,那他力气一定很大!"

"哦……我也有事,得赶快回去!"斯惹阿比哪里还敢提比武的事,跳起来就跑了。

阿体拉叭回来后,听母亲说斯惹阿比刚刚离去,便拔脚追了出去。追过三座山,追过三条河,阿体拉叭终于追上了斯惹阿比。

"嘿,你别跑,我们还要比武呢!"阿体拉叭对斯惹阿比说。

斯惹阿比一听吓坏了,脚步更快了,跑得就像风一样。他慌不择路,一脚踏进大湖里。斯惹阿比不会游泳,等阿体拉叭追上来,斯惹阿比早已没了影。

天神恩梯古兹权力很大，得知此事后大为震怒，说："比武并没有错，出了命案罪过就大了。阿体拉叭要付出代价。"

众神一听都来替阿体拉叭说好话。恩梯古兹终于松了口，说："我可以饶阿体拉叭死罪，但是他住的地方得因此而受罚！"他随后命令天神斯热阿比到人间降下一场虫灾。

这天早上，东方的天空没有升起太阳，却有一片黑黑的"乌云"远远地飘来。"乌云"落到庄稼地里，转眼间绿色的庄稼就不见了。

"是蝗虫！"乡亲们惊呼着奔到地里赶蝗

虫。蝗虫像
疯了似的啃食
着庄稼，不一
会儿，就把好

几片地的庄稼都吃得精光。

"庄稼被吃光了，我们就要挨饿了！"望着被蝗虫啃光的庄稼地，乡亲们欲哭无泪。

阿体拉叭看到乡亲们的收成被蝗虫吃了，自己空有一身力气却无处使，特别着急。天黑时，他打着火把到地里查看灾情，却意外地发现好多蝗虫不管不顾地飞向火把，结果全都被烧死了。

阿体拉叭立刻有了主意。他对乡亲们说："快去砍松树枝、野蒿枝扎成火把，可以灭蝗虫！"

很快，田间地头燃起一支支火把，把夜空照得通明，也把天神降下的虫灾消除了。恩梯古兹见阿体拉叭用自己的智慧帮助乡亲们解除了虫灾，觉得他功过相抵，便不再追究他的过错。

这天正是农历六月二十四的晚上，从此，彝

zú tóng bāo biàn bǎ zhè tiān dìng wéi
族同胞便把这天定为
huǒ bǎ jié zài zhè ge jié rì
火把节。在这个节日
lǐ yí zú tóng bāo chuān shàng
里，彝族同胞穿上
jié rì shèng zhuāng zài gē zài wǔ bìng jǔ bàn
节日盛装，载歌载舞，并举办
shēng shì hào dà de xuǎn měi huó dòng hé sài mǎ
声势浩大的选美活动和赛马、
shuāi jiāo shè jiàn bǐ sài gè cūn duō yòng dà huǒ bǎ shù yú zhài zhōng xiǎo huǒ
摔跤、射箭比赛。各村多用大火把竖于寨中，小火
bǎ chā yú jiā mén kǒu yè wǎn diǎn rán huǒ bǎ zài kuàng yě zhōng yóu xíng yǐ
把插于家门口，夜晚点燃火把在旷野中游行，以
jì niàn tā men xīn mù zhōng de yīng xióng
纪念他们心目中的英雄。

传说一点通

当天神降下虫灾时，阿体拉叭找到了好办法，帮助乡亲们渡过了难关。阿体拉叭聪明又善良，所以人们至今仍然记得他。火把节是彝族人民一年一度最隆重、最欢乐的节日。这一天，人们手举火把，载歌载舞，表达消灭害虫，祝祈风调雨顺，确保五谷丰收、人丁平安、六畜兴旺的心愿。

愚人节

每年的4月1日，是西方国家的民间传统节日——愚人节。在这一天，人们会编出一些谎话，去哄骗、取笑别人，而且骗人的人毫无顾忌，受骗上当的人也只是一笑了之。现在，愚人节已发展为一个国际性的节日。关于这个节日有许多传说，其中一个源自很有名的希腊神话故事。

在希腊神话中，众神之王宙斯与谷物女神得墨忒尔生了一个女儿叫普西芬尼，她长着一头金色的秀发，美丽又善良，深得谷

物女神的宠爱。

一天，冥王哈得斯驾车巡视西西里岛时，普西芬尼和女伴智慧女神雅典娜、狩猎女神阿耳忒弥斯也在那里玩。

爱与美神阿佛洛狄忒看到了，想搞个恶作剧。她对儿子爱神厄洛斯说："给哈得斯射上一箭，让他爱上普西芬尼。"

厄洛斯是个百发百中的神射手，结果他一箭射去，正中哈得斯的心窝。哈得斯立刻疯狂地爱上了普西芬尼！

哈得斯知道，美丽的普西芬尼绝不会放弃大地上的阳光和天空，跟他去地府生活。但他实在太爱普西芬尼了，就决定把她抢到地府去。

一天，普西芬尼正在采花。突然，一声天崩地

裂的巨响，她面前的土地裂开了，一辆四匹黑马拉着的金车从里面跳了出来！

只见一位头戴王冠、身穿王袍、手执王杖的人从车上走下来。他就是冥王哈得斯。冥王把吓得不知所措的普西芬尼一把抱起，向金车走去。

小姑娘拼命挣扎，大声呼唤妈妈。得墨忒尔听到女儿的呼叫赶紧赶过来，谁知女儿早已不见了踪影。

得墨忒尔四处打听女儿的下落。其实众神都知道是谁带走了普西芬尼，但他们不想得罪哈得斯，那样只会给自己添麻烦，就向她撒谎，随便说了一个去处。得墨忒尔不知其中的缘故，对众神

的话深信不疑。

为了找到女儿，得墨忒尔在深不可测的埃特纳火山口点燃了两支火把，把整个世界照得一片通明，而且只要有一点儿线索，她就绝不放弃。结果，得墨忒尔走遍了世界的每一个角落，把整个世界搅得没有片刻安宁。

众神对她开始由同情转为厌烦，都拿她寻开心。

"天哪，那个疯子又来了！"

"快走，快躲起来！"

这天，几个神灵正在水边聊天，突然发现得墨忒尔来了，就想躲起来，但已经来不及了。

得墨忒尔赶紧上前和他们打招呼："你们好！最近有我女儿的消息吗？我已经找了她好久，真不知道她跑到哪儿去了！"

"东边的山里吧。我听说她在那儿采花。"

"大树的洞里有没有去找过？她好像曾在那里休息。"

"她正在水边洗澡呢！我刚才看到的。"

他们胡乱说着，好像他们真的看到过她的女儿。

"太好了！我这就去找！"得墨忒尔高兴地跑走了。

"她要去找好几天呢！"

"是啊，我们又能安静几天了。"

神灵们打发走可怜的得墨忒尔，又开心地聊起天来。

谷物女神只顾着找女儿，连世间的农事

也无心掌管，结果土地荒芜，到处闹饥荒。看到这种情形，神灵们也慌了，急忙来找众神之王宙斯商量。

宙斯派使者来到地府，要冥王放了普西芬尼。可普西芬尼做了冥国的王后，冥王十分宠爱她，她也已经习惯地府的生活。但她非常想念妈妈，希望能回家看看，冥王同意了她的请求。

女儿终于回来了，谷物女神非常高兴，大地又恢复了生机，田野再次披上了绿装。人们走出家门，载歌载舞，欢庆冬去春来。

得墨忒尔希望女儿能永远留在自己的身边。可普西芬尼告诉妈妈，她已经吃了冥间的食物，按规定必须返回冥国。

宙斯就和冥王商量，让普西芬尼一年中有六个月和妈妈团聚，剩下的六个月再回到地府与冥王共同生活。

这样，每当女儿回来，谷物女神便从山洞里回到家中。此时世间万物便恢复生机，这就是春夏两季；当女儿回到地府，谷物女神思女心切，无心农事，大地便不长谷物，树叶凋落，这就是秋冬两季。希腊神话中的四季就是这样来的。

因为得墨忒尔被众神糊弄得团团转，屡屡受骗上当，所以人们便根据这个故事设立了愚人节，用善意的谎言告诫别人，不要因轻信他人而干出蠢事。

传说一点通

　　得墨忒尔为了寻找心爱的女儿，相信了众神的谎言，非常值得同情。我们要吸取她的教训，遇到事情要开动脑筋，多问几个为什么，那样就能避免许多不必要的麻烦。现在，人们在节日期间的愚弄欺骗已不再像过去那样离谱，而是以轻松欢乐为目的。

wàn shèng jié
万圣节

měi nián de 10 yuè 31 rì shì xī fāng guó jiā chuán tǒng de wàn shèng jié
每年的10月31日是西方国家传统的"万圣节

zhī yè yě shì zuì nào guǐ de yī yè suǒ yǐ yòu jiào guǐ jié
之夜",也是最"闹鬼"的一夜,所以又叫"鬼节"。

zhè yī yè rén men huì diǎn rán nán guā dēng
这一夜,人们会点燃南瓜灯。

zhè zhǒng zuò fǎ yī shì shuō tā kě yǐ qū sàn guǐ hún
这种做法一是说它可以驱散鬼魂,

yī shì shuō rén men yòng nán guā dēng shang de guǐ liǎn cháo
一是说人们用南瓜灯上的鬼脸嘲

xiào guǐ hún hng shǎ guā cái huì shàng nǐ de dàng
笑鬼魂:哼,傻瓜才会上你的当!

guān yú zhè ge jié rì yǒu xǔ
关于这个节日有许

duō chuán shuō qí zhōng yī gè yǔ
多传说,其中一个与

ài ěr lán jiǔ guǐ jié kè yǒu guān
爱尔兰酒鬼杰克有关。

jù shuō yǒu yī tiān jié kè
据说有一天,杰克

yòu hē duō le jiǔ zhǎo bù dào huí
又喝多了酒,找不到回

jiā de lù le tā zhèng diē diē
家的路了。他正跌跌

zhuàng zhuàng de zǒu zhe hū rán fā
撞撞地走着,忽然发

xiàn shēn hòu zǒng gēn zhe yī gè hēi
现身后总跟着一个黑

影。杰克害怕遇见了强盗,连忙跑到墙角躲了起来。

"你以为躲到这儿,我就找不到你了?"那个黑影也追到墙角。

"你……你是谁?"杰克颤抖着声音问。

"我是魔鬼!我要把你抓到地狱里去!"黑影回答。

杰克吓得一下子酒全醒了:"得想个办法脱身才行!"

杰克想了想,一屁股坐在地上,唉声叹气地说:"啊,我刚才喝多了,根本走不动路。我得坐着歇一会儿。"说着,悄悄地朝四下张望,想找个机会跑掉。

魔鬼一把拉起杰克,怪笑道:"你还敢跟我讨价还价?快快上路吧!"

杰克走了几步,突然停下来说:"我可以跟你走。但是我还有一瓶好酒

放在那个树洞里，我想把它喝了再走，不然好酒就浪费了！"

一听说有好酒，魔鬼立刻乐了："我还从没喝过好酒呢！你放哪儿了？"

杰克把魔鬼带到一棵大树前说："就放在这个树洞里，我进去拿吧！"

没想到魔鬼一把拦住他说："不行！你进去把酒喝光了怎么办？我们一起进去！"

但是，树洞很小，根本容不下两个人。魔鬼只好对杰克说："你在外面等着！"然后独自爬进树洞。

杰克见了，迅速在树干上刻了一个神圣的十字，困住了魔鬼，然后高兴地嚷道："哪有什么好酒哇，你上当了！"

"放我出去！放我出去！"魔鬼在树洞里气得哇哇乱叫。因为魔鬼最怕十字架，所以他不敢跑出来。

"我可以放你出去。不过，你要发誓永远不再追取我的灵魂！"杰克向魔鬼提出要求。

魔鬼可不愿意永远在树洞里待着，只好答应了杰克的要求。杰克这才把魔鬼放了出去。

许多年过去了，虽然魔鬼一直没有来追取杰克的灵魂，但死亡却一天天走近了杰克。

杰克死后，因为酗酒、吝啬和欺诈，所以未被允许进入天堂。又因为魔鬼的誓言，杰克也不能进入地狱。

"那么我能去哪里

呢？"杰克不知所措地问。

"哪儿来的回哪儿去！"魔鬼恶狠狠地回答。

回去的路冷风四起，黑暗无边。魔鬼从地狱之火中捡起一块烧得通红的炭火扔给杰克。

为了既能照明又不被风吹灭，杰克只好将炭火放进他手里拿着的大头菜里，然后举着这样的"灯笼"去寻找自己的栖身之处。

杰克把炭火放到大头菜中的做法演变到后

来，就变成了现在的南瓜灯。现在的万圣节之夜，人们会布置很多装饰，诸如各式鬼怪面具、南瓜灯，还有黑猫、巫婆的扫帚之类。孩子们还会穿上各种各样的鬼怪服装，拎着南瓜灯挨家挨户地讨糖果吃。后来，这个习俗一直延续下来，就成了孩子们取笑不慷慨人家的玩笑。

传说一点通

魔鬼要把杰克抓去地狱，杰克却想到了逃避魔鬼的办法。故事以恐怖开始，却有了一个幽默的结尾。其实，恐惧、害怕都来自我们的内心，我们要战胜恐惧，首先要战胜自己。如今，在孩子们的眼中，万圣节是一个充满神秘色彩的节日，是他们纵情玩乐的好时候。

gǎn ēn jié
感恩节

　　每年11月的第四个星期四是感恩节。它是美国人民独创的一个古老节日，也是美国人合家欢聚的节日。据说，这个节日与美洲土著居民印第安人，特别是与玉米的种植有密切的关系。

　　1620年9月6日，一批英国清教徒难以忍受宗教迫害，搭乘"五月花"号木船驶往美洲。他们忍受着疲劳、饥饿、寒冷和疾病的折磨，在大西洋上漂泊了六十五天，最后

到达北美英国殖民地的普利茅斯。

这一年的冬天,屋外下着大雪,一位叫安妮的小女孩被妈妈裹在破棉被里,仍然冻得瑟瑟发抖。

"妈妈,我冷……我饿……"妈妈抱起小安妮,轻轻地吻着她,不知道用什么办法来安慰她。

爸爸的咳嗽声听起来真让人窒息:"唉,真不该……带你们来这里……"

妈妈哭着说:"会好的,一切都会好起来的……"

屋外的风刮得更猛了,好像要把小屋吹垮似的。

"砰——"门开了,一个又黑又瘦的男人走进来。

小安妮看清楚了,那是当地的一个印第安人。

妈妈紧紧地抱着小安妮，高声叫起来："请你出去！这里什么也没有……"

印第安人走向躺在床上的小安妮的爸爸，从口袋里掏出一包玉米和几颗土豆。他看了看病人，然后从贴身的口袋里拿出一个小包，放到小安妮的妈妈手里，又指了指床上的病人，便转身走出屋子。

"我们有救了！"妈妈轻声叫起来。她追出屋子："先生……请等等……"那人早已不知去向。

小安妮一家后来才知道，当地的印第安人不但救助了他们，还救助了许多来到这里的移民。在印第

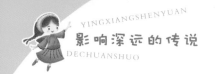

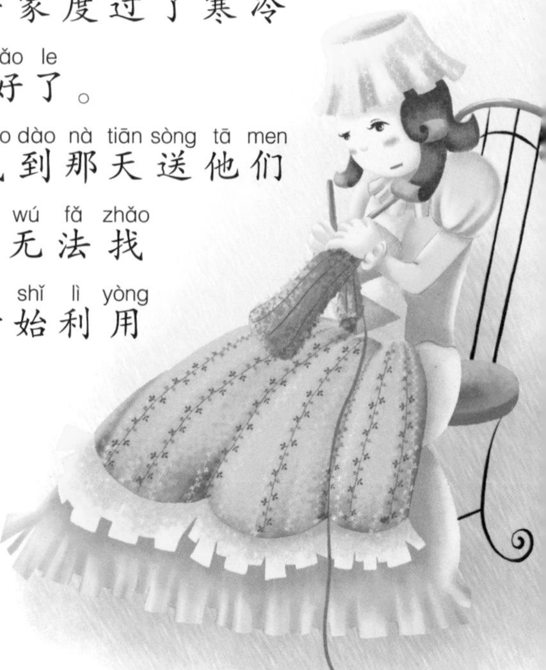

ān rén de bāng zhù xià xiǎo ān nī yī jiā dù guo le hán lěng
安人的帮助下，小安妮一家度过了寒冷
de dōng tiān bà ba de bìng yě jiàn jiàn hǎo le
的冬天，爸爸的病也渐渐好了。

xiǎo ān nī de mā ma hěn xiǎng zhǎo dào nà tiān sòng tā men
小安妮的妈妈很想找到那天送他们
shí wù de yìn dì ān rén què yī zhí wú fǎ zhǎo
食物的印第安人，却一直无法找
dào yú shì xiǎo ān nī de bà ba kāi shǐ lì yòng
到。于是，小安妮的爸爸开始利用
kòng xián shí jiān gěi yìn dì ān hái zi
空闲时间给印第安孩子
jiǎng gù shi mā ma bù tíng de zhī shǒu
讲故事，妈妈不停地织手
tào xiǎo wéi jīn sòng gěi tā men hǎo
套、小围巾送给他们，好
xiàng zhǐ yǒu zhè yàng cái néng biǎo dá tā
像只有这样才能表达他
men xīn zhōng de gǎn jī zhī qíng
们心中的感激之情。

chūn tiān lái le yìn dì ān rén
春天来了，印第安人
kāi shǐ jiāo yí mín men zhòng zhí yù mǐ hé nán guā sì yǎng huǒ jī dà jiā jiàn
开始教移民们种植玉米和南瓜，饲养火鸡，大家建
lì le qīn mì de yǒu yì xiǎo ān nī yǒu le hǎo jǐ gè yìn dì ān xiǎo huǒ
立了亲密的友谊。小安妮有了好几个印第安小伙
bàn tā de tǔ zhù huà yě shuō de hěn liú lì le
伴。她的土著话也说得很流利了。

dì èr nián qiū tiān yù mǐ fēng shōu le yí mín men jǔ xíng le fēng
第二年秋天，玉米丰收了，移民们举行了丰
shèng de gǎn ēn huì tā men yòng kǎo huǒ jī hé yù mǐ gāo diǎn kuǎn dài yìn dì
盛的感恩会。他们用烤火鸡和玉米糕点款待印第

ān rén dà jiā zài gē zài wǔ tōng xiāo dá dàn
安人。大家载歌载舞通宵达旦……

cǐ hòu měi nián yù mǐ shōu huò hòu de yuè dǐ dìng jū zài zhè lǐ
此后，每年玉米收获后的11月底，定居在这里
de yí mín dōu yào jǔ xíng gǎn ēn huì jiā jiā kǎo huǒ jī hé pēng zhì yù mǐ shí
的移民都要举行感恩会，家家烤火鸡和烹制玉米食
pǐn yòng lái kuǎn dài yìn dì ān rén cháng cǐ yǐ wǎng zhè zhǒng gǎn ēn huì
品，用来款待印第安人。长此以往，这种感恩会
jiù chéng le yī zhǒng guàn lì
就成了一种惯例。

nián měi guó zǒng tǒng lín kěn xuān bù bǎ gǎn ēn jié dìng wéi quán
1863年，美国总统林肯宣布把感恩节定为全
guó xìng de jié rì hào zhào quán guó rén mín tóng xīn tóng dé wèi měi guó de fán
国性的节日，号召全国人民同心同德，为美国的繁
róng chāng shèng zuò chū nǔ lì yú shì jiù yǒu le xiàn zài de gǎn ēn jié
荣昌盛作出努力，于是就有了现在的感恩节。

传说一点通

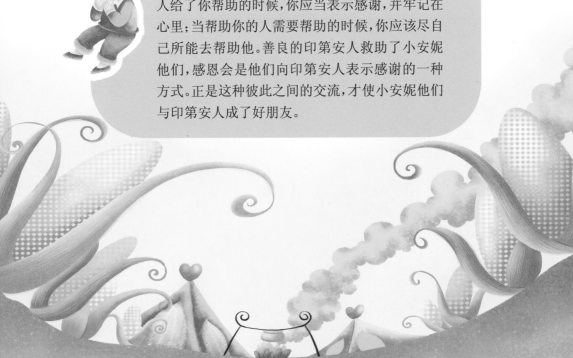

俗话说"滴水之恩，当涌泉相报"，意思是当别人给了你帮助的时候，你应当表示感谢，并牢记在心里；当帮助你的人需要帮助的时候，你应该尽自己所能去帮助他。善良的印第安人救助了小安妮他们，感恩会是他们向印第安人表示感谢的一种方式。正是这种彼此之间的交流，才使小安妮他们与印第安人成了好朋友。

西 湖
xī hú

传说古时候,在天河东边的石窟里住着一条雪白的玉龙,在天河西边的绿树林里住着一只彩色的金凤。玉龙和金凤是好朋友,他们经常一起到天河边游玩。

一天,他们像往常一样来到天河边,突然看到不远处有个东西闪了一下。

"是什么宝贝吧?"

"快去看看。"

他们跑上前去一看,原来是一块透明的石头,泛着淡淡的光亮。

金凤很喜欢,对玉龙说:"你看,这块石头多好看哪!"

玉龙也很喜欢，对金凤说："我们把它琢磨成一颗珠子吧！"

"好！"金凤高兴地答应了。

每天他们都早早地来到天河边，金凤用嘴啄，玉龙用爪子抓，一刻不停地磨着石头。经过七七四十九天，石头越磨越圆润，越磨越光亮。终于有一天，他们把石头琢磨成了一颗滚圆滚圆的明珠！

金凤高兴地飞到仙山上，衔来露珠滋润明珠；玉龙快活地游到天河里，汲来清水喷洗明珠。慢慢地，这颗明珠变得光彩夺目，闪闪发光，漂

liàng jí le

亮极了！

zhè kē míng zhū zhēn shì shén qí jí le　tā de zhū guāng zhào dào nǎ

这颗明珠真是神奇极了：它的珠光照到哪

lǐ　nǎ lǐ jiù huì shān míng shuǐ xiù　huā mù mào shèng　wǔ gǔ fēng dēng

里，哪里就会山明水秀，花木茂盛，五谷丰登。

cóng cǐ yǐ hòu　yù lóng hé jīn fèng jiù zhù zài yī qǐ　rì yè shǒu hù

从此以后，玉龙和金凤就住在一起，日夜守护

zhe míng zhū

着明珠。

zhè shì hěn kuài chuán dào le wáng mǔ niáng niang de ěr

这事很快传到了王母娘娘的耳

duo li

朵里。

zhè me hǎo de dōng xi　dāng rán yīng gāi shǔ yú

"这么好的东西，当然应该属于

wǒ　wáng mǔ niáng niang lì kè pài rén tōu zǒu le míng zhū

我！"王母娘娘立刻派人偷走了明珠。

wáng mǔ niáng niang dé dào míng zhū　xǐ huan de bù dé

王母娘娘得到明珠，喜欢得不得

liǎo　lián kàn yě shě bu de gěi rén kàn　jiù bǎ tā cáng dào

了，连看也舍不得给人看，就把它藏到

le xiān gōng li　hái zài wài miàn guān qǐ jiǔ chóng mén　suǒ

了仙宫里，还在外面关起九重门，锁

qǐ jiǔ dào suǒ

起九道锁。

zhè tiān　yù lóng hé jīn fèng

这天，玉龙和金凤

yī jiào xǐng lái　fā xiàn míng zhū bù

一觉醒来，发现明珠不

jiàn le　wàn fēn jiāo jí

见了，万分焦急。

péng you men zhī dào le zhè

朋友们知道了这

ge xiāo xi　yě bāng zhe tā men sì

个消息，也帮着他们四

chù xún zhǎo 处寻找。他们找哇找，找遍了天河边的每一个角落，还是不见明珠的踪影。

一天，正当他们到处寻找明珠的时候，突然有人叫了起来："快看，天上有什么在闪光！"

玉龙和金凤抬头一看，也叫了起来："啊，是明珠在闪光！"他们立刻循着明珠的光亮找过去，一直找到了王母娘娘的仙宫里。

这天是王母娘娘的生日，她正大摆酒席，宴请众神仙呢。

神仙们来得可真不少。他们各自带了礼物给王母娘娘祝寿。大家喝着美酒，吃着佳肴，祝贺王母娘娘福如东海，寿比南山。在摆放礼物的地

方，最显眼的位置上 正摆放着那颗明珠。

王母娘娘不但抢别人的宝贝，还把它作为

自己的寿礼，玉龙和金凤见了，都气坏了。

"明珠是我们的！"金凤大声叫起来。

"快还给我们！"玉龙也高声叫着。

王母娘娘一听火了，冲着玉龙和金凤张口

就骂："胡说！我是玉皇大帝的亲娘，所有的宝物

都是我的！"

玉龙说："这颗明珠不是天上生的，

也不是地下长的，是我们辛辛苦苦琢磨

出来的！"

王母娘娘恼羞成怒，喝道："来人

哪！快把这两个不知好歹的东西赶出去！"

玉龙和金凤急了，扑过去想把明珠

抢回来，王母娘娘也冲过去抢明珠。他们三个你抢我夺，乱成一团。突然，明珠从台子上掉下去，一路滚到了天边，又从天上掉到了人间……

玉龙和金凤就一路追着明珠，也来到人间。

明珠一落到人间，立刻就变成了美丽的西湖。由于舍不得离开明珠，玉龙变成了雄伟的玉龙山，金凤变成了青翠的凤凰山，他们永远住在了西湖边，守护着明珠。

传说一点通

杭州西湖景色绮丽，是世界著名的风景名胜区。西湖是明珠变成的，这是一个美丽的传说。当我们赞美西湖的时候，可不要忘记西湖的建设者们付出的心血和汗水。

黄鹤楼

huáng hè lóu
黄鹤楼位于湖北武昌的蛇山，面临长江。
登楼远眺，风光无限美好，因此有"天下第一楼"
的美誉。有关黄鹤楼的名字，还有一个动
人的传说呢。

从前，在武昌江边的
黄鹤山下有一家小茶馆，
开茶馆的辛氏心地特别善
良。但是小茶馆的位置太
偏僻，总是很少有人来。
一天，外面下着小雨，
小茶馆里一个客人也没
有，辛氏就拿了把椅子坐在
炉子前烧水。
突然，外面传来"扑

通"一声。辛氏跑出门一看，原来是一位老人摔倒了。行人只顾匆匆赶路，没有谁去扶他一把。老人倒在泥水里，半天爬不起来。辛氏连忙跑过去扶起老人，把他请进屋。

"喝口热茶吧，再吃点儿东西。"辛氏给老人端来一杯热茶，又拿来一些点心。

"我没有钱！"老人摇摇头说。

"没关系，这些茶水和点心都不要钱。"辛氏安慰老人。

老人吃了点心又喝了茶，精神好多了。"你真是个好人！好人会

有好报的！"老人说着，在墙上画了一只黄鹤，又拿出一支笛子说，"这幅画送给你。你只要吹响笛子，黄鹤就会飞下来跳舞！"

老人把笛子往辛氏手里一放，一转身就不见了。

"是神仙下凡！"辛氏吃了一惊。她想起老人的话，便拿着笛子小心地吹起来。

果然，黄鹤从墙上飞到地上，翩翩起舞。而且她吹得快，黄鹤就跳得快；她吹得慢，黄鹤就跳得慢，真是太神奇啦！

大家知道了黄鹤的事，都跑来看热闹。辛氏的小茶馆一下子热闹起来，生意也渐渐好起来了。

这事很快让当地的一个财主知道了。财主想："要是把这只黄鹤弄到手，我可就发大财啦！"

财主立刻带了几个打手跑到小茶馆里，二话不说，把辛氏和里面的客人赶出去，还七手八脚地拆下了画着黄鹤的那堵墙。

dàng tiān　cái zhu jiù bǎ nà dǔ qiáng bān dào le zì jǐ jiā li　rán hòu
当天，财主就把那堵墙搬到了自己家里，然后

ná chū yī zhī yù dí　duì zhe qiáng chuī qǐ lái　kě shì　tā chuī de kǒu gān
拿出一支玉笛，对着墙吹起来。可是，他吹得口干

shé zào　qiáng shang de huáng hè jiù shì bù xià lái　zhè shì zěn me huí shì ne
舌燥，墙上的黄鹤就是不下来。这是怎么回事呢？

cái zhu pài rén yī dǎ ting　cái zhī dào zhǐ yǒu yòng xīn shì de dí zi
财主派人一打听，才知道只有用辛氏的笛子

chuī　huáng hè cái huì tiào wǔ
吹，黄鹤才会跳舞。

kuài　kuài bǎ nà ge xīn shì zhǎo lái　cái zhu duì shǒu xià de rén shuō
"快，快把那个辛氏找来！"财主对手下的人说。

dàn shì xīn shì bù zhī dào qù le nǎ lǐ　lián gè yǐng zi yě zhǎo bù dào
但是辛氏不知道去了哪里，连个影子也找不到。

cái zhu qì huài le　dǎ suàn bǎ huà zhe huáng hè de qiáng zá diào　jiù
财主气坏了，打算把画着黄鹤的墙砸掉。就

zài zhè shí　wài miàn chuán lái yī zhèn yōu yáng de dí shēng　huáng hè lì kè
在这时，外面传来一阵悠扬的笛声。黄鹤立刻

cóng qiáng shang fēi xià lái　piān piān qǐ wǔ
从墙上飞下来，翩翩起舞。

kuài　kuài bǎ huáng hè gěi wǒ zhuā zhù　cái zhu yòu kuáng jiào qǐ lái
"快，快把黄鹤给我抓住！"财主又狂叫起来。

shéi zhī huáng hè fēi chū wū zi　cháo zhe xīn shì xiǎo chá guǎn de fāng
谁知黄鹤飞出屋子，朝着辛氏小茶馆的方
xiàng fēi qù le
向飞去了。

dà jiā kàn dào　cóng xiǎo chá guǎn li zǒu chū yī wèi lǎo rén　tā yī biān
大家看到，从小茶馆里走出一位老人。他一边
chuī zhe dí zi　yī biān cháo huáng hè zǒu qù　suí hòu qí zhe huáng hè fēi shàng
吹着笛子，一边朝黄鹤走去，随后骑着黄鹤飞上
le tiān　yī huìr　jiù zài tiān biān xiāo shī le
了天，一会儿就在天边消失了。

lǎo rén qí zhe huáng hè qù le nǎ lǐ　xīn shì yòu qù le nǎ lǐ　shéi
老人骑着黄鹤去了哪里？辛氏又去了哪里？谁
yě bù zhī dào　dàn rén men yī zhí jì de zhè ge yǒu guān huáng hè de gù shi
也不知道。但人们一直记得这个有关黄鹤的故事，
hòu lái jiù zài xiǎo chá guǎn de dì fang jiàn zào le　yī zuò huáng hè lóu
后来就在小茶馆的地方建造了一座黄鹤楼。

传说一点通

　　黄鹤楼是我国古代的三大名楼之一。黄鹤楼
的传说给这个古老的建筑增添了几分神秘的色
彩。历史上，许多名人都爱登上黄鹤楼，欣赏大江
两岸的景色，并留下了大量的诗篇。

shén nǚ fēng
神女峰

在四川巫山县城东面约十五公里的长江北岸，有一块巨石突兀于青峰云霞之中，就像一个亭亭玉立、美丽动人的少女。每当清晨，云雾环绕着巨石，好似为它披上了一层轻纱，显得非常神秘。这块巨石就是传说中的神女峰。

很久很久以前，长江巫峡南岸翠屏峰一带，

是个土肥水美的好地方，一年四季鲜花盛开，人们
过着美满幸福的生活。

不知道从哪天起，这里来了十二条恶龙。恶龙
们晚上睡在翠屏峰的青石洞里，白天就跑出来翻
江倒海，搅得天昏地暗，刮起来的大风把房屋卷
上天空，致使人畜死伤无数。

再说天上的
瑶池宫里住着西
王母的第二十三
个女儿，名叫瑶
姬。她向三元仙
君学到了变化无
穷的仙术，被封为云华夫人。

这天，瑶姬在天宫里待得闷了，就带着几位侍
女来到人间游玩。她先去东海观海景，然后一路西
去。一路上，仙女们飞越千峰万岭，阅尽人间奇景。

当她们来到云雨茫茫的巫山上空时，却见
这里狂风大作，天地间一片昏暗。

"出了什么事？"瑶姬问。

侍女们立刻上前查看，回来报告说："前方有十二条蛟龙正在兴风作浪，地上一片汪洋，无数百姓流离失所，真是一场大灾难哪！"

瑶姬大怒："我一定要替人间除龙消灾！"于是，她按住云头，用手轻轻一指，立刻响起阵阵惊雷，划过道道闪电。只见惊雷震得地动山摇，闪电将恶龙拦腰劈断。

等到风平浪静，十二条恶龙的尸体已化作十二座高山，填满了河谷。由于水道不畅，江水急剧上涨，村庄、田野和城镇再次变成一片汪洋大海。

治水英雄大禹听说了，急忙赶来对瑶姬说：

"你已经为这儿的百姓除了害,其他的事就交给我吧!"

瑶姬点点头。大禹立刻挥舞神斧开山劈石,驱赶神牛疏理水道。他日夜不停地忙碌着,连饭都顾不上吃。但是山石太多了,不能一下子都清理掉,因此洪灾并没有得到缓解。

瑶姬也没有好办法,正着急呢,只见天边飘来十一朵彩云。

"是姐姐们来了……"瑶姬高兴极了。

"看我们带来了什么!"姐姐们把一部治水的天书送给大禹。

大禹看了天书后,呼风唤雨,用雷炸,用电击,

用水浇，很快劈开了三峡，疏通了水道。从此，四川变成了物产丰富的"天府之国"。

瑶姬和姐姐们都迷上了这里的美景，经常从天宫下来游玩。由于恶龙尸骨化成的顽石隐藏在江水里，形成无数暗礁险滩，来往的船只经常被阻或触礁沉没，瑶姬和姐姐们就一起为船工们导航。

天长日久，十二位仙女便化作十二座山峰，耸立在幽深秀美的巫峡两岸。其中瑶姬化身的神女峰最为挺拔秀丽。山腰的一块平台，据说就是神女们向大禹授天书的授书台。

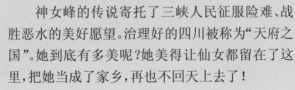

传说一点通

神女峰的传说寄托了三峡人民征服险难、战胜恶水的美好愿望。治理好的四川被称为"天府之国"。她到底有多美呢?她美得让仙女都留在了这里，把她当成了家乡，再也不回天上去了!

日月潭

去过祖国的宝岛——台湾的人都知道,那里有两个明镜一般的清潭。据说这里以前没有山,只有一个大潭和一个小潭。生活在这里的人们,喝潭里的水,用潭里的水,还经常在潭边唱歌跳舞、开晚会。

一天,不知从哪儿来了一黑一白两条恶龙,黑龙住进了大潭,白龙住进了小潭。两条恶龙先把两个潭里的清水搅成黑水,然后又跑到天上去喷云

tǔ wù zuì hòu hēi lóng tūn chī le tài yáng bái
吐雾。最后，黑龙吞吃了太阳，白
lóng tūn chī le yuè liang tiān dì jiān chéng le hēi máng
龙吞吃了月亮。天地间成了黑茫
máng de yī piàn shù mù kū wěi le niǎo bù jiào
茫的一片，树木枯萎了，鸟不叫
le zhuāng jia gèng shì kē lì wú shōu jiā jiā hù
了，庄稼更是颗粒无收。家家户
hù de liáng shi chī guāng le niú yáng yīn wèi méi yǒu
户的粮食吃光了，牛羊因为没有
chī de yě dōu kuài è sǐ le
吃的，也都快饿死了。

cūn li yǒu yī duì nián qīng de yú mín fū fù
村里有一对年轻的渔民夫妇
dà jiān gē hé shuǐ shè jiě kàn dào xiāng qīn men shòu
大尖哥和水社姐，看到乡亲们受
de kǔ nàn jué xīn chú diào è lóng zhǎo huí tài yáng
的苦难，决心除掉恶龙，找回太阳
hé yuè liang
和月亮。

cūn li de lǎo rén gào su tā men zài hěn
村里的老人告诉他们："在很
yuǎn de shēn shān li yǒu yī gè lǎo pó po tā zhī
远的深山里，有一个老婆婆，她知
dào zěn yàng cái néng chú diào è lóng
道怎样才能除掉恶龙。"

dà jiān gē hé shuǐ shè jiě jǔ qǐ huǒ bǎ pá
大尖哥和水社姐举起火把，爬
shān guò hé zhěng zhěng zǒu le jiǔ shí jiǔ tiān zhōng yú zǒu dào shēn shān li
山过河，整整走了九十九天，终于走到深山里，
zhǎo dào le lǎo pó po
找到了老婆婆。

lǎo pó po gào su tā men zhǐ yào yòng shǒu wā chū ā lǐ shān xià de
老婆婆告诉他们："只要用手挖出阿里山下的
jīn fǔ tóu hé jīn jiǎn dāo jiù néng shā sǐ è lóng bù guò nà jīn fǔ tóu hé
金斧头和金剪刀，就能杀死恶龙。不过，那金斧头和

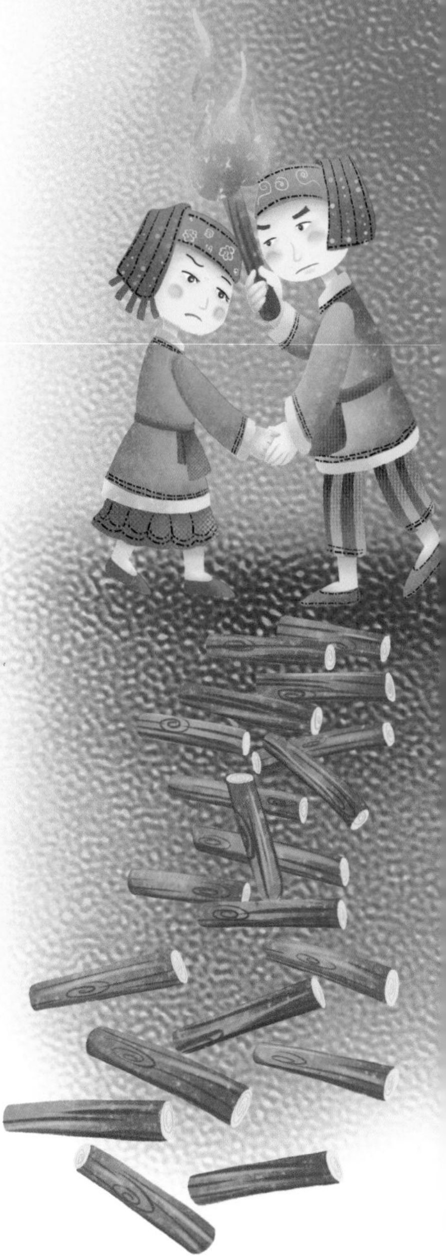

金剪刀可不是容易得到的，只有最有恒心的人才能挖到它们。"

"为了乡亲们，我们什么苦都不怕！"大尖哥和水社姐说。

老婆婆给了他们两颗药丸，说："把这个拿去吧！它会让你们有使不完的力气。"

大尖哥和水社姐告别了老婆婆，立刻奔向阿里山。他们带着工具，点着火把，又走了九十九天，终于来到阿里山下。

他们开始用手挖阿里山下的金斧头和金剪刀。手磨破了，指甲磨掉了，但他们一刻也不停下来。他们挖呀挖，一共挖了九十九天。第九十九天的时候，他们终于挖出了闪闪发光的金斧头和金剪刀。

大尖哥和水社姐立刻跑回双潭边，只见两条

恶龙正在潭里玩耍。说时迟那时快,大尖哥飞快地跳入潭里,用金斧头砍断了黑龙的腰;水社姐也瞅准时机,用金剪刀剪断了白龙的喉咙。立刻,太阳和月亮分别从两条恶龙的嘴里滚了出来。

太阳和月亮在双潭里一沉一浮,要把它们重新放回到天上去才行啊!大尖哥和水社姐双双跳进潭里,一个抱起太阳,一个抱起月亮,奋力地向天上抛去。谁知太阳和月亮在半空中飘了一会儿,又落回潭里。一次,两次……太阳和月亮还是不断地掉下来。难道真的没有办法了吗?

突然,水社姐叫了起来:"我们还有老婆婆送的那两颗药丸!"

chī xià yào wán　liǎng rén lì kè biàn chéng
吃下药丸，两人立刻变成

le jù rén　zhàn zài shuǐ tán li jiù xiàng liǎng zuò
了巨人，站在水潭里就像两座

gāo shān　tā men fēn bié bào qǐ tài yáng hé yuè
高山。他们分别抱起太阳和月

liang　zhōng yú bǎ tā men tuō shàng le tiān kōng
亮，终于把它们托上了天空。

dà jiān gē hé shuǐ shè jiě pà tài yáng hé
大尖哥和水社姐怕太阳和

yuè liang zài diào xià lái　jiù yī zhí shǒu zài tán
月亮再掉下来，就一直守在潭

biān　tiān cháng rì jiǔ　tā men biàn chéng le liǎng
边。天长日久，他们变成了两

zuò dà shān　yǒng yuǎn de chù lì zài tán biān　hòu
座大山，永远地矗立在潭边。后

lái　rén men jiù bǎ shuāng tán jiào zuò　rì yuè
来，人们就把双潭叫作"日月

tán　bǎ tán biān de liǎng zuò shān chēng zuò　dà
潭"，把潭边的两座山称作"大

jiān shān　hé　shuǐ shè shān
尖山"和"水社山"。

传说一点通

　　当太阳和月亮被恶龙吞吃后，乡亲们陷入了无边的苦难。大尖哥和水社姐勇敢地与恶龙搏斗，终于杀死了恶龙。为了让太阳和月亮重新回到天上，他们变成了巨人，最终将太阳和月亮托上了天空。美丽的传说中蕴含着人们美好的愿望和丰富的想象力。日月潭是我国台湾最大的天然湖。潭中有小岛将湖分为两半，北面为日潭，南面为月潭，周围有大尖山和水社山等环抱，是台湾著名的风景区。

sōng huā jiāng
松花江

传说，以前黑龙江流域人迹罕至，古树参天，
山连着山，一眼望不到边。

在一片寂静的山林里，有一个长满荷花的大
湖，名叫莲花湖。有一天，这里突然闯进一条白翅
白鳞的小恶龙。他一到这里就翻江倒
海，把一湖碧水搅了个底朝天。美丽
的莲花湖立刻变成一潭死水，荷花
全都谢了，湖里的鱼也全都死了。

小白龙为非作歹的事，让东海的
老龙王知道了。

老龙王连忙下令："莲花湖有小白龙作恶，大黑龙速去降伏，不得有误！"

大黑龙得令，立刻对龙王说："龙王请放心，凭我上百年修炼的功夫，一定能把小白龙打得片甲不留！"

"你可不要轻敌呀！听说那小白龙也不是个等闲之辈。"龙王对大黑龙不太放心，又嘱咐了他几句。

大黑龙离开龙宫，急忙赶往莲花湖。由于根本没把小白龙放在眼里，大黑龙只带了一条锁链就上路了。大黑龙想："不管他功夫如何，我要先在气势上压倒他，来个先声夺人！不和他打照面，就让他怕我三分！"大黑龙的功夫果然了得，他一抖锁链，空中就响起一片炸雷。大黑龙还有个特点：在水里游，水会变黑；在天上飞，白云就变成乌云。

大黑龙就这样

一路走来，炸雷响

个不停，天上更是乌云翻滚。小白龙听到雷声阵阵，又见天上黑云翻滚，立刻提高了警惕。他躲在云层里悄悄朝远处张望，发现来了一条大黑龙，还带了一条锁链。小白龙心里一惊："这个黑家伙一定是来抓我的。我可不能和他硬拼！三十六计，走为上！"小白龙找了个山洞，躲起来养精蓄锐去了。

大黑龙一到莲花湖就向小白龙叫阵："那个作恶的家伙，快出来！我要和你一决雌雄！"可是大黑龙从早上一直叫到太阳下山，连小白龙的影子都没看见。

大黑龙在莲花湖连叫带嚷折腾了一天，又累又饿，刚

想歇口气，却见小白龙跑了出来。精力充沛的小白龙围着大黑龙连缠带打，很快就把大黑龙打退到了三江口。

大黑龙休整好了再来叫战，小白龙又故技重演，再次打败了大黑龙。

如此几战下来，就到了第二年的夏天。只见满山的松树开花了，山上一片洁白。松花落在莲花湖上，湖水也变白了。

"几次交战我都不能得手，全是黑水、乌云惹的祸。"大黑龙看到湖上洁白的松花，突然有了主意，"我为什么不到山上借些松花呢？"

大黑龙于是吃饱喝足，然后飞到长白山和兴安岭。只见他把尾巴一扫，顿时卷起一阵狂风。当大黑龙挟

着"松花粉"飞到莲花湖时，小白龙一点儿也没发觉。结果，大黑龙不费吹灰之力，就捉住了小白龙。

不过，大黑龙还是很粗心，没把锁链锁好。小白龙趁他睡着时，挣脱锁链，偷偷跑到了兴凯湖。

为了找小白龙，大黑龙把黑龙江的水道都疏理了一下，留下许多支流。自从大黑龙借走"松花粉"后，松树就不开花了。为了纪念大黑龙，人们就把黑龙江的最大支流叫作"松花江"。

那莲花湖的水后来也越来越少，就成了今天半月形的五大莲池。

传 说 一 点 通

　　大黑龙很像粗中有细的张飞。他在犯了几次粗心的毛病后，动起了脑筋，想到用松花粉做掩护，从而不费吹灰之力捉住了小白龙。然而，大黑龙的粗心最终还是让小白龙给逃脱了。

蝴蝶泉
hú dié quán

云南大理的苍山有许多奇特的山峰。在群峰环绕的山谷里，有一眼山泉。泉水异常清澈，常年不断。因为从来没人知道山泉有多深，所以大家都叫它无底潭。

有一家姓张的农夫，就住在山泉旁边。张农夫的妻子早就去世了，只有他和女儿相依为命。

张农夫的女儿叫雯姑，漂亮得就像春天的桃花，纯洁得就像山间的泉水。雯姑白天帮父亲种田，晚上纺纱织布。她比天上的仙女还要心灵手巧，织出来的布比天上的云霞还要美。

同村有一个小伙子，名叫霞郎，从小失去父母，一个人过着孤苦伶仃的生活。霞郎又勤劳又能干，而且忠厚善良。他还有一副好嗓子，唱起歌来连山上的鸟都会静静地倾听。

不知道从什么时候起，雯姑爱上了霞郎，霞郎也爱上了雯姑。

苍山下的俞王府里，住着凶恶残暴的俞王。他是统治苍山和洱海的霸王。

俞王听说雯姑美如天仙，就打起了坏主意，一心想把雯姑抢去做他的第八个老婆。

俞王带着打手来到无底潭边，一脚踢开张家的门，打伤雯姑的父亲，把雯姑抢到了俞王府。

俞王对雯姑说："我家里有数不清的金银财宝，吃不尽的山珍海味，穿不完的绫罗绸缎。只要你答应做我的老婆，我保你一辈子有享不尽的荣华富贵。"雯姑一心爱着霞郎，对俞王看也不看一眼。她对俞王说："我早就有了心上人，想让我做你的老婆，是痴心妄想！"俞王气坏了，派人把雯姑关进了牢房。

霞郎听说雯姑被抢到俞王府后，非常着急，夜里偷偷摸进俞王府去找雯姑。俞王府实在太大了，屋子多得数也数

不清。"雯姑到底被关在哪一间呢?这样找下去,什么时候才能找到雯姑哇!"霞郎伤心地说。

突然,不知道从哪儿飞来几只夜莺。它们围着霞郎飞了几圈,就朝俞王府的大园深处飞去。不一会儿,夜莺们飞回来了。它们一边轻声鸣叫着,一边将霞郎引向俞王府深处的一间屋子。霞郎终于找到了雯姑,他忙用斧头劈开牢房门,然后扶着雯姑逃出俞王府。

俞王发现雯姑逃跑后暴跳如雷,火速派人去追。雯姑和霞郎逃哇逃,逃过了小河,逃过了深谷,一直逃到无底潭边。俞王带着打手们紧追不放,雯姑和霞郎已经没有退路了。

tā men shēn qíng de xiāng hù wàng le yī yǎn， rán hòu jǐn jǐn de yōng bào
他们深情地相互望了一眼，然后紧紧地拥抱

zhe， zòng shēn tiào xià le wú dǐ tán
着，纵身跳下了无底潭……

wú dǐ tán de shuǐ fān gǔn zhe、 fèi téng
无底潭的水翻滚着、沸腾

zhe， tán zhōng yāng mào qǐ yī gè jù dà de
着，潭中央冒起一个巨大的

xuán wō。 yī duì wǔ cǎi bān lán
漩涡。一对五彩斑斓、

xiān yàn měi lì de hú dié
鲜艳美丽的蝴蝶

cóng xuán wō li fēi le chū
从漩涡里飞了出

lái， hù xiāng zhuī zhú zhe，
来，互相追逐着，

piān piān qǐ wǔ
翩翩起舞。

cóng cǐ yǐ hòu， rén
从此以后，人

men jiù bǎ wú dǐ tán gǎi
们就把无底潭改

chēng wéi hú dié quán
称为"蝴蝶泉"。

传说一点通

　　俞王用金银财宝引诱雯姑，雯姑却不为所动。
为了爱情，她和心爱的人一起跳进了无底潭。与这
个故事相似的是《梁山伯与祝英台》。在人们看来，
蝴蝶代表了自由和美好，所以蝴蝶被人们当作为
爱情和自由献身的雯姑和霞郎、梁山伯和祝英台
的化身。

wǔ yáng chéng
五羊城

zhōng guó de xǔ duō chéng shì dōu yǒu zì jǐ de bié míng guǎng zhōu bèi
中国的许多城市都有自己的别名。广州被

chēng wéi wǔ yáng chéng zhè shì wèi shén me ne zhè lǐ yǒu yī gè gǔ lǎo
称为"五羊城",这是为什么呢?这里有一个古老

de chuán shuō
的传说。

hěn jiǔ yǐ qián guǎng zhōu yīn wèi cháng qī tiān hàn wú yǔ zhuāng
很久以前,广州因为长期天旱无雨,庄

jia kē lì wú shōu bǎi xìng men zhǐ hǎo è dù zi kě shì guān fǔ què
稼颗粒无收,百姓们只好饿肚子。可是官府却

bù guǎn bù gù réng rán tiē chū gào shi ràng dà jiā jiāo liáng
不管不顾,仍然贴出告示,让大家交粮。

yǒu hù rén jiā zhǐ yǒu fù zǐ èr rén rì zi guò de fēi
有户人家只有父子二人,日子过得非

cháng jiān nán zhè tiān guān bīng yòu lái cuī liáng fù qīn zhǐ
常艰难。这天,官兵又来催粮,父亲只

hǎo dǎ kāi guō gài duì tā men shuō wǒ men yǐ jīng hǎo jǐ tiān
好打开锅盖对他们说:"我们已经好几天

méi chī de le shí zài ná bù chū liáng shi a
没吃的了,实在拿不出粮食啊!"

guān bīng èr huà bù shuō bǎng le fù qīn
官兵二话不说,绑了父亲

jiù zǒu hái duì tā de ér zi shuō xiàn nǐ sān
就走,还对他的儿子说:"限你三

tiān zhī nèi bǎ liáng shi jiāo qí bù rán nǐ lǎo zi
天之内把粮食交齐,不然你老子

jiù méi mìng le
就没命了。"

儿子十分孝顺，一心想救父亲。但望着自家干裂的田地，他只有失声痛哭。一天过去了，两天过去了，他的哭声感动了天上的五位仙人。

仙人们骑着五只不同颜色的羊，拿着谷穗，来到少年的面前。他们把谷穗交给少年，说："赶快把谷粒种到田里，明天天亮时，就能收获很多稻谷了。如果遇到什么难处，就到坡山的脚下找我们。"说完，只见金光一闪，五位仙人全都不见了。

少年按照仙人的吩咐种下了谷粒，第二天天亮时，果然收获了几大筐稻谷。

少年把稻谷如数交给了官府。官老爷简直不敢相信自己的眼睛，厉声喝问："前几天还叫家里没吃的，今天怎么拿来这么多稻谷？赶快老实交代！如果

不说，不但救不了你老子，你也小命难保！"在官老爷的威逼之下，少年只好如实相告。

官老爷听后心中暗自盘算："我如果把五个仙人全抓到手，不就可以发大财了吗？"于是他立刻放了少年和他的父亲，又命令手下去坡山脚下捉拿仙人。

少年感到事情不妙，急忙跑到坡山脚下向仙人们报信，让他们快快离开。

五位仙人告诉少年："赶快把剩下的谷粒种到田里，这样官府就抢不走稻谷，老百姓就可以

yǒu chī de le

有吃的了。"

dāng guān lǎo ye de shǒu xià zhǎo lái shí　zhǐ jiàn jīn guāng yī shǎn　wǔ

当官老爷的手下找来时,只见金光一闪,五

wèi xiān rén quán dōu bù jiàn le　zhǐ yǒu tā men qí de yáng hái liú zài cǎo dì

位仙人全都不见了,只有他们骑的羊还留在草地

shang　shǒu xià jiàn rén méi le　zhǐ hǎo pǎo lái zhuā yáng　shéi zhī tā men yī pèng

上。手下见人没了,只好跑来抓羊。谁知他们一碰

dào yáng　wǔ zhī yáng jiù cù yōng zài yī qǐ　biàn chéng le yī kuài dà shí tou

到羊,五只羊就簇拥在一起,变成了一块大石头。

chuán shuō zhōng wǔ zhī yáng biàn chéng de shí tou　jīn

传说中五只羊变成的石头,今

tiān hái zài pō shān jiǎo xià de wǔ xiān guàn li　ne

天还在坡山脚下的五仙观里呢。

传说一点通

少年对父亲的孝心让仙人们都感
动了!神奇的稻谷不但救了少年的父
亲,还让乡亲们也有吃的了。在少年的
身上,我们看到了善良和亲情的力量。
它可以战胜邪恶,给人们带来希望。

五指山

很久以前，我国南部的海南岛还是个人烟稀少的地方。海岛东部有一大片空地，只有荒草、杂树和乱石。由于那里实在是太荒凉了，野兽们都不愿意做窝。

有一年春天，林老汉带着妻子和五个儿子逃荒来到这里。妻子望着荒地，叹着气说："这种地方连野兽都不愿意住，我们可怎么活呀？"林老汉说："只要有一双手，不愁没有粮食吃！"五个儿子也异口同声地说："我们一定会过上好日子的！"于是他们搬开乱石，除去杂草，在荒地上搭起一间草棚。

每天天不亮，林老汉就带着全家人在荒地上劳作了。石头把手磨破了，鲜血染红了石头；荆棘割伤了身体，留下了道道血迹。全家人一刻也不停下来，一心要把地整出来，赶着播种呢！

好多天过去了，他们只整理出院子那么大的一块土地。妻子发愁地说："这样下去，地要到什么时候才能整出来啊？"

晚上，等大家都睡下了，林老汉又悄悄地出了屋子，独自在荒地里搬石头、除杂草。

干到后半夜，他实在太累了，就靠在一块大石头上睡着了。在梦中，他遇到一位白胡子老人，老人拿出一把闪着银光的锄头对他说："你们光靠手怎么行呢？这把宝锄送给你，只要

你举起它喊一声'挖'，荒地就会变成粮田。"说着，把锄头交到林老汉的手里。最后，他又叮嘱道："开完了荒地，记得把它还给我！"

"怎么还给您呢？"林老汉问。

"只要把宝锄埋到地里就行啦！"老人说完就不见了。

林老汉醒来，发现自己的手里真的有了一把闪着银光的锄头！"我们有宝锄了！我们有宝锄了！"林老汉高兴地跑进屋，把宝锄的事说给全家人听。

一家人来到荒地，照着白胡子老人说的做了。果然，乱石、杂草全不见了，他们的面前出现了一

片望不到边的果园和良田！

林老汉说："我们要讲信用，绝不能把宝锄占为己有。"于是带着全家，把宝锄埋在他做梦的大石头底下。

有了果园和良田，加上辛勤的劳动，林老汉一家的日子越过越好。

二十年过去了，林老汉和妻子都去世了，五个儿子把父母埋在了曾经埋过宝锄的地方。

一天，官老爷出来巡游，正好路过林家的果园。园子里，丰收的果实挂满了枝头，随风飘来阵阵沁人心脾的果香。

"奇怪呀，我怎么不知道有这样一块宝地呢？"官老爷问手下。

手下连忙说："这儿原来是块荒地，后来听说林老

hàn dé le bǎ shén qí de bǎo chú zhè lǐ jiù biàn chéng le bǎo dì
汉得了把神奇的宝锄,这里就变成了宝地!"

guān lǎo ye mìng lìng shǒu xià lì kè bǎ bǎo dì gěi wǒ qiǎng dào shǒu
官老爷命令手下:"立刻把宝地给我抢到手!"

hǎo shǒu xià yòu tǎo hǎo de shuō nín bù rú bǎ bǎo chú yě gǎo
"好!"手下又讨好地说,"您不如把宝锄也搞

dào shǒu nà nín kě jiù xiǎng yào shén me bǎo dì dōu bù zài huà xià le
到手,那您可就想要什么宝地都不在话下了!"

guān lǎo ye yī tīng yǒu lǐ mǎ shàng pài le jǐ gè dǎ shou bǎ wǔ
官老爷一听有理,马上派了几个打手,把五

xiōng dì zhuā le qù
兄弟抓了去。

guān lǎo ye duì wǔ xiōng dì shuō zhǐ yào nǐ men shuō chū bǎo chú mái
官老爷对五兄弟说:"只要你们说出宝锄埋

zài shén me dì fang wǒ bǎo nǐ men jīn hòu guò shàng hǎo rì zi
在什么地方,我保你们今后过上好日子!"

wǔ xiōng dì shuō wǒ men jué bù huì
五兄弟说:"我们绝不会

gào su nǐ bǎo chú mái zài shén me dì fang
告诉你宝锄埋在什么地方!"

guān lǎo ye jiù bǎ wǔ xiōng dì guān jìn
官老爷就把五兄弟关进

dà láo duì tā men yán xíng kǎo dǎ dàn shì
大牢,对他们严刑拷打,但是

wǔ xiōng dì hái shi yī gè zì
五兄弟还是一个字

yě bù shuō guān lǎo ye qì
也不说。官老爷气

jí bài huài bǎ tā men bǎng
急败坏,把他们绑

zài lín jiā guǒ yuán de yī kē
在林家果园的一棵

dà shù shang sì zhōu
大树上,四周

duī shàng gān chái rán
堆上干柴,然

hòu diǎn qǐ dà huǒ
后点起大火。

dà huǒ shāo le yī tiān yī yè huǒ kuài yào xī miè de shí hou bù zhī
大火烧了一天一夜,火快要熄灭的时候,不知

cóng shén me dì fang fēi lái chéng qiān shàng wàn de chóng zi hé niǎo tā men fēi
从什么地方飞来成千上万的虫子和鸟。它们飞

jìn guān fǔ duì zhe guān lǎo ye yòu yǎo yòu zhuó bǎ guān lǎo ye nòng sǐ le
进官府,对着官老爷又咬又啄,把官老爷弄死了。

chóng zi hé niǎo yòu fēi jìn guǒ yuán li yòng ní tǔ bǎ wǔ xiōng dì de
虫子和鸟又飞进果园里,用泥土把五兄弟的

shī tǐ yǎn mái qǐ lái biàn chéng le wǔ gè tǔ duī
尸体掩埋起来,变成了五个土堆。

yè wǎn dāng yuè liang shēng qǐ lái shí nà wǔ gè tǔ duī tū rán yuè
夜晚,当月亮升起来时,那五个土堆突然越

gǒng yuè gāo biàn chéng le wǔ zuò gāo shān zhí zhǐ tiān kōng
拱越高,变成了五座高山,直指天空。

rén men shuō zhè wǔ zuò shān shì wǔ gè xiōng dì huà chéng de jiù bǎ
人们说,这五座山是五个兄弟化成的,就把

tā men jiào zuò wǔ zǐ shān yīn wèi nà shān yòu gāo yòu zhí jiù xiàng shǒu
它们叫作"五子山"。因为那山又高又直,就像手

zhǐ yī yàng suǒ yǐ rén men yòu bǎ tā men jiào zuò wǔ zhǐ shān
指一样,所以人们又把它们叫作"五指山"。

传说一点通

在宝锄的帮助下,林老汉带着家人用双手将荒地变成了果园和良田。宝锄其实是他们顽强精神的象征。为了守护宝锄的秘密,五兄弟不畏强暴,宁死不屈,化作了高高的五指山。

fù shì shān
富士山

zì gǔ yǐ lái rì běn rén jiù bǎ fù shì shān jiào
自古以来，日本人就把富士山叫

zuò fù yuè líng fēng rèn wéi tā shì zhèn shǒu rì běn
作"富岳""灵峰"，认为它是镇守日本

de shén shān duì tā shí fēn jǐng yǎng guān yú fù shì shān
的神山，对它十分景仰。关于富士山

de míng zi hái yǒu yī gè dòng rén de chuán shuō
的名字，还有一个动人的传说。

cóng qián zài rì běn de mǒu
从前，在日本的某

gè shān cūn li zhù zhe yī duì lǎo fū
个山村里，住着一对老夫

qī tā men wú ér wú nǚ xiāng yī
妻。他们无儿无女，相依

wéi mìng wèi le shēng huó lǎo dà ye
为命。为了生活，老大爷

jīng cháng shàng shān kǎn zhú zi
经常上山砍竹子。

zhè tiān lǎo dà ye yī
这天，老大爷一

zǎo jiù shàng shān kǎn zhú zi qù
早就上山砍竹子去

le zài shān shang tā fā xiàn
了。在山上，他发现

yī gēn zhú zi zhǎng de yòu gāo
一根竹子长得又高

yòu cū hǎo xiàng yī zhí zhǎng
又粗，好像一直长

dào le tiān shàng
到了天上。

kǎn le zhè me duō nián de zhú zi   hái cóng méi jiàn guo zhǎng de zhè me
"砍了这么多年的竹子，还从没见过长得这么

gāo dà de zhú zi ne   lǎo dà ye bǎ zhè gēn zhú zi kǎn dǎo   tū rán fā xiàn
高大的竹子呢！"老大爷把这根竹子砍倒，突然发现

zhú zi zhōng tǎng zhe yī gè kě ài de nǚ yīng
竹子中躺着一个可爱的女婴，

zhèng wàng zhe tā xiào ne
正望着他笑呢！

āi yō   zhè shì shéi jiā de hái zi a
"哎哟，这是谁家的孩子啊？"

lǎo dà ye qí guài jí le   tā děng dào tiān kuài hēi
老大爷奇怪极了。他等到天快黑

le   yě méi yǒu rén lái rèn lǐng nǚ yīng   yī dìng
了，也没有人来认领女婴。"一定

shì xiǎo niǎo bǎ tā dài lái de ba   lǎo dà ye zhǐ
是小鸟把她带来的吧！"老大爷只

hǎo bǎ nǚ yīng bào huí le jiā
好把女婴抱回了家。

kàn dào lǎo dà ye bào huí lái
看到老大爷抱回来

yī gè nǚ yīng   lǎo dà niáng yě xǐ
一个女婴，老大娘也喜

huan de bù dé liǎo   yī dìng shì shān
欢得不得了。"一定是山

shén sòng gěi wǒ men de xiǎo bǎo bèi
神送给我们的小宝贝！"

lǎo dà niáng gěi nǚ yīng zuò le yī shēn
老大娘给女婴做了一身

piào liang de yī fu　hái yòng zhú zi
漂亮的衣服，还用竹子
gěi tā biān le yī zhāng xiǎo chuáng
给她编了一张小床。
lǎo dà ye gěi nǚ yīng qǐ le gè hǎo
老大爷给女婴起了个好
tīng de míng zi　nèn zhú
听的名字：嫩竹。

　　guò le jǐ gè yuè　nǚ yīng jiù
　　过了几个月，女婴就
zhǎng chéng le dà gū niang　tā piào
长成了大姑娘。她漂
liang jí le　yǎn jing xiàng liǎng kē hēi
亮极了，眼睛像两颗黑
pú tao　pí fū bái lǐ tòu hóng　tóu
葡萄，皮肤白里透红，头
fa bǐ liǔ zhī hái yào róu měi
发比柳枝还要柔美。

　　nèn zhú guāi qiǎo dǒng shì　xīn dì shàn liáng　měi tiān bāng lǎo dà ye lǎo
　　嫩竹乖巧懂事、心地善良，每天帮老大爷老
dà niáng zuò shì　hái chàng gē gěi tā men tīng　shān li de xiǎo dòng wù men dōu
大娘做事，还唱歌给他们听。山里的小动物们都
xǐ huan nèn zhú　jīng cháng pǎo lái zhǎo tā wán　yǒu shí hou　nèn zhú kàn dào xiǎo
喜欢嫩竹，经常跑来找她玩。有时候，嫩竹看到小
dòng wù shòu le shāng　jiù huì xiǎo xīn de gěi tā tú yào　bāo zā shāng kǒu
动物受了伤，就会小心地给它涂药、包扎伤口。

　　yīn wèi dà jiā dōu xǐ huan zhè ge měi lì　shàn liáng de gū niang　jié
　　因为大家都喜欢这个美丽、善良的姑娘，结
guǒ lián jīng chéng li de huáng dì yě tīng shuō le　zhēn yǒu nà me hǎo de gū
果连京城里的皇帝也听说了。"真有那么好的姑
niang ma　huáng dì jué dìng qīn zì qù kàn yī kàn
娘吗？"皇帝决定亲自去看一看。

　　huáng dì yán zhe xiǎo lù　cháo dà shān shēn chù zǒu qù　zài xiǎo xī biān
　　皇帝沿着小路，朝大山深处走去。在小溪边，
tā kàn dào yī gè piào liang de gū niang　gū niang zhèng zài yòng xī shuǐ xǐ tā
他看到一个漂亮的姑娘。姑娘正在用溪水洗她

黑黑的长发,水里的小鱼都围着她不肯游开。皇帝走上前问道:"你是嫩竹吗?"姑娘羞红了脸,轻轻地摇摇头。

皇帝沿着小溪,朝大山深处走去。在山坡旁,他看到一个漂亮的姑娘。姑娘正在唱着动听的曲子,天上的小鸟都围着她不肯飞走。皇帝走上前问道:"你是嫩竹吗?"姑娘羞红了脸,轻轻地摇摇头。

皇帝走过山坡来到一个山村,在一间草屋前看到一个漂亮的姑娘,一群小动物正围着她:小鸟在为她歌唱,小野猪在为她

tiào wǔ xiǎo hóu zi zài biǎo yǎn fān gēn tou
跳舞，小猴子在表演翻跟头……

néng hé xiǎo dòng wù chéng wéi péng you de rén
"能和小动物成为朋友的人，

yī dìng shì gè shàn liáng de rén　huáng dì xiǎng zhe
一定是个善良的人。"皇帝想着，

zǒu shàng qián wèn　néng gào su wǒ nǐ shì shéi ma
走上前问："能告诉我你是谁吗？"

wǒ jiào nèn zhú　gū niang hài xiū de huí dá
"我叫嫩竹。"姑娘害羞地回答。

huáng dì lì kè jiù ài shàng le tā
皇帝立刻就爱上了她。

qǐng hé wǒ qù chéng li　zuò wǒ de xīn niáng
"请和我去城里，做我的新娘

ba　huáng dì shuō
吧！"皇帝说。

wǒ de jiā zài shān li
"我的家在山里，

bù néng lí kāi　nèn zhú qīng qīng
不能离开！"嫩竹轻轻

de yáo le yáo tóu
地摇了摇头。

huáng dì jiàn bù néng shuō
皇帝见不能说

fú tā　zhǐ hǎo shāng xīn de lí
服她，只好伤心地离

kāi le　huí dào chéng li hòu
开了。回到城里后，

huáng dì zài gōng diàn de zhōu wéi quán zhòng
皇帝在宫殿的周围全种

shàng le zhú zi hái zài zhú lín li guà
上了竹子，还在竹林里挂

shàng niǎo wō guò le xiē rì zi huáng dì
上鸟窝。过了些日子，皇帝

hái shi wàng bù liǎo nèn zhú jiù yòu lái dào
还是忘不了嫩竹，就又来到

shān cūn li
山村里。

zuò wǒ de xīn niáng ba wǒ yǐ jīng bǎ huáng gōng biàn de hé nǐ de
"做我的新娘吧，我已经把皇宫变得和你的

jiā yī yàng le huáng dì shuō
家一样了！"皇帝说。

wǒ jiā de zhú lín dà de wàng bù dào biān huáng gōng li zěn me kě
"我家的竹林大得望不到边，皇宫里怎么可

néng hé zhè lǐ yī yàng ne nèn zhú qīng qīng de yáo le yáo tóu
能和这里一样呢？"嫩竹轻轻地摇了摇头。

zhè cì huáng dì yòu méi néng shuō fú nèn zhú zhǐ hǎo zài cì shāng xīn de
这次皇帝又没能说服嫩竹，只好再次伤心地

lí kāi le
离开了。

guò le xiē rì zi huáng dì yòu lái dào shān cūn li què fā xiàn cǎo wū
过了些日子，皇帝又来到山村里，却发现草屋

qián lěng lěng qīng qīng de nèn zhú nǎr qù le ne
前冷冷清清的。嫩竹哪儿去了呢？

lǎo dà ye hé lǎo dà niáng gào su huáng dì nèn zhú shì yuè gōng shang
老大爷和老大娘告诉皇帝："嫩竹是月宫上

的仙女，她回到天上去了。"

第二年中秋节时，皇帝登上日本一座最高的山。他想："既然嫩竹是天上的仙女，那么这座高山一定离她最近吧！"

皇帝爬到山顶上，燃起一堆篝火，然后把一年来写给嫩竹的诗一张张地放进火里。火烧了好久也没有熄灭，就像皇帝对嫩竹的思念一样绵绵不绝。

后来，人们就把这座山称作"富士山"，意思是"不死的山"。

传说一点通

读完这个故事，我们会感到一种淡淡的哀伤。嫩竹姑娘是天上的仙女，她更爱人间的自然美景，这也许就是她不愿意随皇帝去城里的原因吧。高高的富士山离月亮那么近，住在月亮上的嫩竹一定会知道皇帝的悲伤吧！"不死的山"在今天仍是许多痴情男女的爱情圣地。

ài qín hǎi
爱琴海

地中海东部有个克里特岛,是希腊最大的岛屿。很久以前,岛上有个克里特国,国王叫米诺斯。

一天,米诺斯得到一个可怕的消息:他的一个儿子在雅典被杀害了。米诺斯悲痛欲绝,所有的愤怒都在那一刻爆发了!他决定向雅典兴师问罪。

面对强大的对手,雅典国王埃勾斯无计可施,只好签下骇人听闻的条约:每年贡奉七对童男童女给克里特岛上牛首人身的怪物米诺牛享用。据

说此怪物是克里特王后与牡牛所生。米诺斯为了遮丑，把米诺牛藏在规模宏大、结构复杂的迷宫里。

雅典国王惧怕强大的米诺斯，只得按时纳贡。雅典王子忒修斯善良又聪明，看到雅典的老百姓天天为自己的子女担惊受怕，过着痛苦不堪的生活，心里难过极了。

很快，贡奉的日子又到了。一天，有位老婆婆带着一个小男孩，哭着来找王子："好心的王子，我的孙子被选去贡奉给米诺牛了！请你千万救救他！"小男孩五六岁的样子，看上去可爱极了。

"把他留在我的宫里，看谁还敢来抓他！"王子气愤地说。

第二天，王子发现小男孩不见了。他找到老婆婆一问才知道，原来卫兵们发现小男孩是要送去

当贡品的，就又把他送了回去。

王子跑去找父王："为什么让可怜的孩子白白送命？"父王叹了口气说："你是知道的，如果不把他们送去，就会有更多的人送命。我这样做，也是不得已呀！"

"我一定要杀死妖怪，为百姓们除害！"王子坚决地对父王说，"让我也去克里特岛吧！我会杀死妖怪，把那些孩子救回来的。"

"让你去？那不是让你去送死吗！"父王哪里舍得！

"父王请放心，我一定会把孩子们救回来的！"王子一再保证。

父王虽然非常心痛儿子，但一想到受苦受难的人民，还是同意了。

王子充满信

心地与父王约定："如能杀掉怪物，我会在归来的船上悬挂白帆；如果遭遇什么不测，船上就像去时一样悬挂黑帆。不过，请您相信我，我一定会挂着白帆回来的！"

王子亲自把七对童男童女送到克里特岛。克里特公主对他一见钟情。当王子要去迷宫杀死米诺牛时，公主悄悄地把深入迷宫的方法告诉了王子，又送给王子一个线球和一柄魔剑，说："用魔剑杀死米诺牛，用线引路，你就可以走出迷宫。"

王子用公主教给他的方法，果然顺利地杀死了米诺牛，并顺利地救出被当作贡品的孩子。

王子和公主带着孩子们乘船回雅典的途中，神谕指示王子必须放弃爱情，否则便会受到神的惩罚。王子无法违背神的旨意，只好将美丽的公主留在荒凉的孤岛上，悲痛地离去。

沉浸在痛苦之中的王子忘记了行前与父王的约定，船上依旧悬挂着黑帆……

每天早晨，国王都早早地等在岸边，目不转睛地望着远方，希望看到王子归来的白帆。

一天又一天，国王忘记自己迎来了几个日出，送走了几个日落。

一天傍晚，当站在海岸边又等待了一天的国王正准备返回王宫时，突然在大海的尽头，出现了一个黑暗的帆影！

tiān na shì hēi sè de guó wáng dī shēng shuō
"天哪,是……黑色的……"国王低声说。

rú guǒ zāo yù shén me bù cè chuán shang jiù xiàng qù shí yī yàng
"如果遭遇什么不测,船上就像去时一样

xuán guà hēi fān guó wáng xiǎng qǐ ér zi zǒu shí shuō guo de huà xīn rú
悬挂黑帆……"国王想起儿子走时说过的话,心如

dāo jiǎo diē diē zhuàng zhuàng de pū xiàng àn biān wǒ de hái zi
刀绞,跌跌撞撞地扑向岸边:"我的孩子……"

yóu yú wú fǎ jiē shòu shī qù ài zǐ de xiàn shí guó wáng zòng shēn tiào rù le
由于无法接受失去爱子的现实,国王纵身跳入了

dà hǎi
大海。

wèi le jì niàn zhè wèi ài zǐ qíng shēn de guó wáng rén men biàn jiāng zhè
为了纪念这位爱子情深的国王,人们便将这

piàn hǎi yù chēng wéi ài qín hǎi
片海域称为"爱琴海"。

传说一点通

当米诺牛威胁雅典人民生命的时候,雅典王子挺身而出,最终杀死了怪物米诺牛。他是一位善良、勇敢的王子。然而,他又是一个粗心的人,忘记了与父亲的约定,最终导致了悲剧的发生。

弃老国
qì lǎo guó

从前，有一个弃老国，多年遵守着一条奇特的法规：为了给孩子和年轻人留下足够的食物，凡是年老的人都要被赶出家门，扔到荒郊野外去活活饿死。

弃老国里有位大臣，小时候家境很苦。他的父母为了培养他，历尽了各种艰辛。大臣一心想报答父母，对他们非常孝顺。后来父母年纪大了，他实在不忍心把他们赶出家门，就做了一个大胆的决定：在家里造一间密

室，把父母偷偷藏起来。

为了不透露一丝消息，大臣每天亲自到密室里给父母送饭，问寒问暖，这样的日子一过就是好多年。

再说邻国仗着国力强大，一直想入侵弃老国，但总没找到好借口。终于有一天，邻国国王想到了一个办法，便派遣使臣来到弃老国。使臣对弃老国的国王说："我们国王给你出了三个问题，如果你答不出，就说明你根本没有能力统治国家，我们的军队就会灭了你们的国家，你们的人民也会成为我们的臣民。"他说着拿出两条蛇，接着问道："哪条蛇是雌的？哪条蛇是雄的？请你在七天之后告诉我。"

事关国家存亡，国王不敢怠慢。使臣一走，国王就把两条蛇翻过来、掉过去地反复察看。两条蛇在筐子里不停地扭来扭去。他实在搞不清楚这两条蛇有什么区别。"唉，它们到底有什么不同呢？"国王急得满头大汗，不知怎么办才好。

有位大臣出主意说："您还是请大家一起想想办法吧！说不定别人会有什么好办法呢！"国王立刻召来文武大臣一起想办法。但是，文武大臣也像国王一样，对这个问题束手无策。

这天早上，大臣像往常一样去密室给父母送饭。看到他闷闷不乐的样子，母亲担心地问："什么事让你这么烦心呢？"

大臣就把国王遇到的事向他们说了。

父亲想了想说："你把两条蛇都放到软布上。雄蛇性情急躁，好动的就是雄蛇；

雌蛇性情温驯，比较安静的就是雌蛇。"

大臣立刻把这个方法告诉了国王。国王让人照着做了，果然很容易就分出了雄蛇和雌蛇。

七天后，使臣来了，他见国王答出了第一个问题，马上又出了第二个问题："什么人睡着了却被叫作清醒的人？什么人醒着却又被称为睡着的人？请你在七天之后告诉我。"

国王又为难了，再让文武大臣一起想办法，可大家还是想破脑袋都没找到答案。

大臣回到家，又悄悄去密室请教父母。父亲想了想说："这很简单，有学问的人都说那些无知的人是醒着却像睡着的人，又说那些罗汉是睡着却清醒的人。"

大臣连忙跑去把答案告诉了国王。

过了七天，使臣又来了，他见第二个问题也答对了，又出了第三个问题。只见他牵出两匹看上去一模一样的白马，问："哪匹马是母亲？哪匹马是孩子？"然后，他又威胁弃老国国王："虽然前两个问题你都答对了，但如果答不出第三个问题，你的国家照样会有灭顶之灾！我明天就会来要答案！"

使臣走了，国王又陷入极度的恐慌之中。他请文武大臣一起想办法，还许诺："不管是谁，只要能答出这个问题，就给他享用不尽的财富。"

大臣回到家，又去请教父母。他把问题一说，父亲想了半天也没有好的答案。这时候，母亲说："取些草来喂它们。母马疼爱孩子，会把草让给小马，而小马不懂事，一定会抢着吃草。抢着吃草的就是小马，

lìng yī pǐ jiù shì mǔ mǎ
另一匹就是母马。”

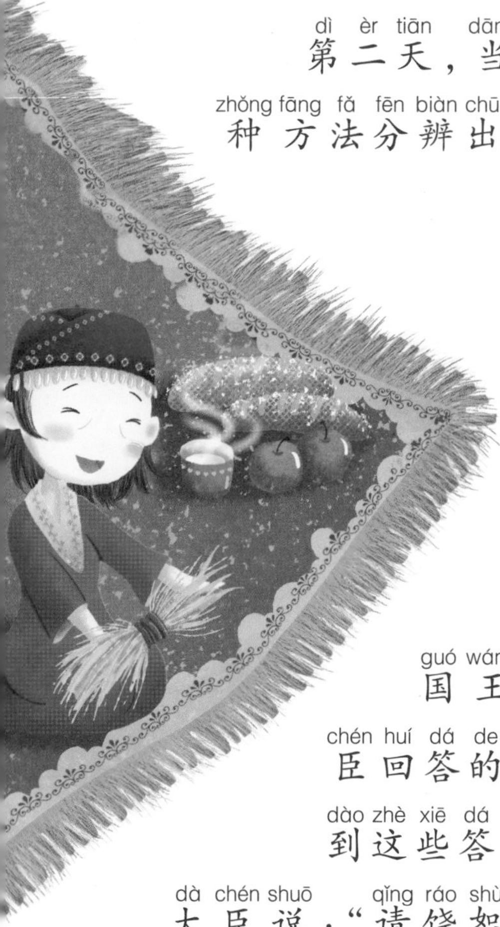

dì èr tiān dāng shǐ chén dào lái shí guó wáng jiù yòng zhè zhǒng fāng fǎ fēn biàn chū le mǔ mǎ hé xiǎo mǎ
第二天，当使臣到来时，国王就用这种方法分辨出了母马和小马。

shǐ chén huí guó bào gào le yī qiè lín guó guó wáng chén sī le yī xià shuō zhè ge guó jiā de rén hěn cōng míng cōng míng de guó jiā shì zhàn wú bù shèng de yú shì lín guó cóng cǐ dǎ xiāo le rù qīn qì lǎo guó de niàn tou
使臣回国报告了一切，邻国国王沉思了一下说：“这个国家的人很聪明。聪明的国家是战无不胜的。”于是，邻国从此打消了入侵弃老国的念头。

guó wáng jiàn sān gè nán tí dōu shì tóng yī gè dà chén huí dá de jiù hào qí de wèn nǐ shì zěn me xiǎng dào zhè xiē dá àn de ne
国王见三个难题都是同一个大臣回答的，就好奇地问：“你是怎么想到这些答案的呢？”

dà chén shuō qǐng ráo shù wǒ zhè xiē wèn tí dōu shì wǒ qǐng jiào fù mǔ cái dé dào de dá àn
大臣说：“请饶恕我！这些问题都是我请教父母才得到的答案。”

guó wáng gèng qí guài le nǐ de fù mǔ bù shì zǎo jiù sǐ le ma
国王更奇怪了：“你的父母不是早就死了吗？”

dà chén shuō wǒ shí zài bù rěn xīn bǎ nián mài de fù mǔ gǎn chū mén jiù bǎ tā men cáng zài le jiā zhōng de mì shì li
大臣说：“我实在不忍心把年迈的父母赶出门，就把他们藏在了家中的密室里……”

guó wáng tīng hòu fēi cháng gǎn dòng gèng wèi běn guó de gǔ lǎo xí sú gǎn
国王听后非常感动，更为本国的古老习俗感

dào xiū kuì   yú shì   tā bù dàn miǎn le dà chén hé tā fù mǔ de zuì   hái bān
到羞愧。于是，他不但免了大臣和他父母的罪，还颁

bù le yī dào xīn fǎ lìng   tiān xià suǒ yǒu de rén dōu bù dé zài yí qì lǎo rén
布了一道新法令：天下所有的人都不得再遗弃老人，

yào zūn zhòng tā men   gòng yǎng tā men   yīn wèi lǎo rén shì guó jiā de cái fù
要尊重他们，供养他们，因为老人是国家的财富。

传说一点通

　　"家有一老，如有一宝"，这是人们对家中老人常用的评价，是说老人的丰富阅历和人生经验对后辈来说是一种宝贵的财富。尊敬长辈是中华民族的传统美德，相信大家对此都有深刻的感悟。"弃老国"的弃老习俗尽管是一种传统，但它并不值得称道。所以，大臣虽然没有"守法"，但仍是值得赞颂的。

聚宝盆
jù bǎo pén

很久以前，有一位老爷爷，无儿无女，生活很穷困。

这天，老爷爷像往常一样，很早就起来了。他带了些干粮和水，到地里翻土种庄稼，得做上一整天呢！

太阳已经下山，老爷爷还在不停地忙碌着。突然，"当"的一声，锄头碰到了什么东西。他仔细一看，原来土里埋着一个盆子。这个盆子看上去虽然有点儿旧了，但是还能用。

"拿回家正好装米！"老爷爷做

wán huó jiù káng zhe chú tou bào qǐ pén zi huí jiā qù le
完活，就扛着锄头、抱起盆子回家去了。

huí dào jiā lǎo yé ye bǎ pén zi xǐ gān jìng jiāng jiā li shèng xià de
回到家，老爷爷把盆子洗干净，将家里剩下的

yī xiǎo wǎn mǐ fàng jìn qù jiù máng zhe shēng huǒ zuò fàn
一小碗米放进去，就忙着生火做饭。

zhǔn bèi yǎo mǐ de shí hou lǎo yé ye tū rán lèng zhù le āi yā
准备舀米的时候，老爷爷突然愣住了："哎呀，

yuán lái de yī xiǎo wǎn mǐ zěn me biàn chéng le yī dà pén
原来的一小碗米，怎么变成了一大盆？"

lǎo yé ye jiǎn zhí bù gǎn xiāng xìn zì jǐ de yǎn jing tā hěn hěn de
老爷爷简直不敢相信自己的眼睛！他狠狠地

cóng pén zi li yǎo le yī bàn mǐ fàng dào guō li dàn shì pén zi li de mǐ bìng
从盆子里舀了一半米放到锅里，但是盆子里的米并

méi jiàn shǎo tā yòu yǎo le yī dà guō pén zi li de mǐ hái shi xiàng yuán lái
没见少！他又舀了一大锅，盆子里的米还是像原来

yī yàng duō
一样多！

bù dé liǎo zhè kě shì yī gè jù bǎo
"不得了！这可是一个聚宝

pén na lǎo yé ye gāo xìng jí le mǎ shàng
盆哪！"老爷爷高兴极了，马上

duān zhe yī dà guō mǐ pǎo qù fēn gěi pín qióng
端着一大锅米，跑去分给贫穷

de xiāng qīn men
的乡亲们。

shì shàng méi
世上没

yǒu bù tòu fēng de
有不透风的

qiáng méi guò jǐ
墙。没过几

tiān zhè shì jiù chuán
天，这事就传

dào le cūn shang zhāng
到了村上张

dà cái zhu de ěr duo li
大财主的耳朵里。

zhāng dà cái zhu xiǎng　　wǒ
张大财主想："我

yào shi néng dé dào zhè ge bǎo bèi jiù
要是能得到这个宝贝就

hǎo la　　dì èr tiān　zhāng dà cái
好啦!"第二天,张大财

zhu lái le gè è rén xiān gào zhuàng
主来了个恶人先告状,

jiào rén bǎ lǎo yé ye lā dào guān fǔ
叫人把老爷爷拉到官府

li　yìng shuō lǎo yé ye qiǎng le tā
里,硬说老爷爷抢了他

jiā zǔ chuán de jù bǎo pén
家祖传的聚宝盆。

jù bǎo pén zěn me shì nǐ jiā zǔ chuán de　tā míng míng shì wǒ qián
"聚宝盆怎么是你家祖传的?它明明是我前

jǐ tiān chú dì　cóng tián li wā dào de　　lǎo yé ye qì fèn de shuō
几天锄地,从田里挖到的。"老爷爷气愤地说。

guān fǔ dà lǎo ye yī tīng yǒu bǎo bèi　yě dǎ qǐ le huài zhǔ yi　tā
官府大老爷一听有宝贝,也打起了坏主意。他

jīng táng mù yī pāi　shuō　shén me nǐ de wǒ de　míng míng shì wǒ jiā de
惊堂木一拍,说:"什么你的我的,明明是我家的!"

tā cháo jǐ gè chāi yì
他朝几个差役

yī huī shǒu　　bǎ tā men
一挥手:"把他们

liǎng gè dōu gěi wǒ gǎn chū
两个都给我赶出

qù　zài bǎ jù bǎo pén
去,再把聚宝盆

gěi wǒ ná lái　　chāi yì
给我拿来!"差役

men lì kè pū shàng qù
们立刻扑上去,

将聚宝盆抢到了官府大老爷的手里。官府大老爷马上把一只金元宝扔进聚宝盆里。不一会儿，聚宝盆里就装满了金元宝。官府大老爷乐坏了："快把老太公、老夫人请出来瞧瞧！"

官府大老爷的父亲——老太公一看也乐坏了，马上就想从聚宝盆里拿一个金元宝。谁知他太激动，脚下一滑，掉进了聚宝盆里。

官府大老爷急忙去拉，可是他刚把这个父亲拉出来，里面又钻出一个父亲。一会儿的工夫，竟从里面拉出了一大堆父亲！

"这么多父亲，到底哪个才是真的呢？"官府大老爷为难了。

"我是！我是！我是！"十几个父亲各不相让，打作一团。只听"当"的一声，聚宝盆被打翻了，摔了个粉碎。

半夜里，老爷爷悄悄地把碎片捡回来，埋到地里。天亮时他再去挖，聚宝盆又恢复了原样！

老爷爷带着聚宝盆离开了村子，从此再也没有回来，所以现在大家都不知道聚宝盆流落到了什么地方。

传说一点通

老爷爷得了聚宝盆，没有只想着自己，而是让乡亲们也过上了好日子。官府大老爷仗势欺人，不但抢了老爷爷的聚宝盆，还想得到更多的金子。贪婪的结果使他遇到了大麻烦：从聚宝盆里跑出了十几个父亲！这也许是他应该得到的教训吧！

hé hé èr xiān
和合二仙

chuán shuō hěn jiǔ hěn jiǔ yǐ qián　zài yī gè dà hú li　chú le yī
传说很久很久以前，在一个大湖里，除了一
wàng wú jì de hú shuǐ　shén me zhí wù yě méi yǒu
望无际的湖水，什么植物也没有。

yī tiān　cóng yuǎn fāng fēi lái yī zhī xiǎo niǎo　bǎ yī kē lián zǐ diū zài
一天，从远方飞来一只小鸟，把一颗莲子丢在
dà hú li　rán hòu fēi zǒu le　guò le bù jiǔ　dà hú li zhǎng chū le mào
大湖里，然后飞走了。过了不久，大湖里长出了茂
shèng de hé yè　hé yè hěn kuài jiù bǎ hú miàn dōu
盛的荷叶，荷叶很快就把湖面都
pū mǎn le　qí guài de shì　dà hú li zhǐ zhǎng
铺满了。奇怪的是，大湖里只长
hé yè　cóng bù kāi huā
荷叶，从不开花。

yī nián chūn tiān　chūn yǔ bǎ yī gè piào liang
一年春天，春雨把一个漂亮
de hé zi chōng dào dà hú li　hé zi zài hé yè
的盒子冲到大湖里。盒子在荷叶
jiān zhuàn lái zhuàn qù　zuì hòu tíng zài yī bǐng yòu dà
间转来转去，最后停在一柄又大

又绿的荷叶底下。突然，从水里伸出一个花苞。只见荷花开了，盒子也开了。从荷花里跳出一个小男孩，手里拿着一柄荷花，人们就叫他"荷"；从盒子里也跳出一个小男孩，手里捧着一个盒子，人们就叫他"盒"。

两个小男孩很快和村里的孩子成了好朋友。荷和盒都很会讲故事。夏天的傍晚，孩子们吃过饭就跑去小河边听荷和盒讲故事。大娃和二娃是他们的忠实听众，天天跟在荷和盒的后面，就像两个小尾巴。故事真好听啊，星星、月亮都从云里探出头来，就连水里的小动物也都听得不出声了。

一天，荷和盒又来到小河边给大家讲故事，但是没有看到大娃和二娃。

"大娃和二娃去哪儿啦？"荷问。

"他们两个因为一点儿小事吵架啦！谁也不理谁。"有个小朋友说。

原来是这样啊！荷和盒希望大家都开开心心的，最不愿意别人不高兴。荷和盒商量了一下，然后分头去找大娃和二娃。

荷对大娃说："我给你讲个故事，而且只讲给你一个人听！"大娃高兴极了。

荷讲了一个蚌娃娃的故事："蚌娃娃特别胆小，很想有个朋友。有一天，他遇到了一个老神仙。老神仙知道了蚌娃娃的心愿，就告诉了他一个好方法，说只要他帮助三个朋友，就会有许多的朋友……"

"后来呢？"大娃问。

荷笑笑说："后来的事只有二娃才知道！"

大娃很想知道故事的结尾，只好去问二娃。

盒早就把故事的后一半讲给二娃听了："一天，大黑鱼跑来欺负小虾、小鱼和小螺蛳，还要把它们都赶到又黑又冷的泥洞里。这时候来了一个小动物，它赶跑了大黑鱼，和小虾它们成了好朋友。"

"这个小动物是谁呀？"二娃问。

盒笑笑说："故事的开头只有大娃才知道！"

二娃很想知道故事的开头，只好去问大娃。

他们互相把故事讲完，然后说："动物们都会互相帮助，我们为什么还要吵架呢？"就这样，他们又像以前一样成了好朋友。

荷和盒讲的故事，让村里的人开开心心，日子

yě guò de fēi cháng kuài lè
也过得非常快乐。

zhè jiàn shì hěn kuài ràng guān fǔ lǎo ye zhī dào le tā jiù pài guān bīng
这件事很快让官府老爷知道了，他就派官兵

qù zhuā hé hé hé lái gěi zì jǐ jiǎng gù shi
去抓荷和盒来给自己讲故事。

guān bīng men gǎn dào dà hú biān zhuō hé kě shì mǎn hú dōu shì shèng kāi de
官兵们赶到大湖边捉荷，可是满湖都是盛开的

hé huā bù zhī dào hé duǒ zài nǎ lǐ tā men yòu pū dào cūn li zhuā hé kě
荷花，不知道荷躲在哪里。他们又扑到村里抓盒，可

cūn li yī yàng de hé zi tài duō yě bù zhī dào hé duǒ zài nǎ ge hé zi li
村里一样的盒子太多，也不知道盒躲在哪个盒子里。

guān bīng men qì huài le jiù sì chù sàn bù yáo yán shuō hé hé hé shì
官兵们气坏了，就四处散布谣言，说荷和盒是

yāo guài huì gěi dà jiā dài lái zāi nàn jié guǒ yǒu rén xìn yǒu rén bù xìn
妖怪，会给大家带来灾难。结果有人信，有人不信，

dà jiā chǎo chéng yī tuán yǒu de hái bèi dǎ shāng le
大家吵成一团，有的还被打伤了。

hé hé hé zhī dào le hěn nán guò biàn qiāo qiāo de lí kāi le
荷和盒知道了很难过，便悄悄地离开了。

guò le hěn jiǔ dà jiā míng
过了很久，大家明

bai le guān bīng de è yì dōu hòu
白了官兵的恶意，都后

huǐ jí le tā men yòu qù zhǎo hé
悔极了。他们又去找荷

hé hé kě nǎr hái yǒu tā men
和盒，可哪儿还有他们

de yǐng zi ne
的影子呢？

人们非常怀念与荷、盒相处的日子。于是，有人就说他们是天上的神仙，他们给大家讲那些好听的故事是为了让大家和睦相处，开开心心地过日子。慢慢地，"荷"和"盒"就变成了"和"和"合"，人称"和合二仙"。

在中国的民间，"和合二仙"代表着团聚和吉祥。在婚礼等喜庆的日子里，人们都会悬挂绘有和、合的图像，以图吉利。

传说一点通

荷和盒讲的故事给村里的人们带去了许多美好的感受。他们的确是幸福、快乐的化身。可惜，因为误解，他们永远离开了。人们身处幸福和快乐之中时，常常会忽视它的可贵。也许你已经拥有了幸福和快乐，那就好好珍惜吧。

倒贴福字

dào tiē fú zì

每逢中国农历的新春佳节，家家户户都要在屋门上、墙壁上、门楣上贴上大大小小的"福"字。有关贴"福"字的故事，据说发生在明代。

传说，某年新年将近，明太祖朱元璋接到探子的密报，说有些人密谋闹事。朱皇帝顿时大怒，立刻吩咐手下的人："给我仔细打听，凡是密谋闹事的人家都给我贴上'福'字。我要叫他们个个享得了今天的福，躲不过明天的祸！"

手下的人立刻准备去了。不过其中有个人发现，密谋闹事的人中有几个竟是自己的好朋友——唉！一面是皇帝的圣旨，一面是自己

的好朋友，他真是为难极了。思来想去，他决定进宫找好心的马皇后想办法。

马皇后得知这个消息也急得不行：要在新年前夕杀人，实在不是什么好事。怎样才能消除这场灾祸呢？

突然，马皇后注意到报信的人手里拿着的福字字条，眼睛一亮："传我的令，让全城所有人家明天天明之前都必须在自家门上贴一个'福'字。"

马皇后的旨意自然没人敢违抗，于是家家门上都贴了"福"字。其中有户人家不识字，竟把"福"字贴倒了。

第二天，皇帝派人上街查看，并让他们把那些贴了"福"字的人家都抓起来。

办事的去了不久就回来报告:"全城的人家都贴了'福'字,是不是把全城的人都抓起来?"

"明明是几个闹事的人家贴了'福'字,怎么变成全城的人家都贴了'福'字呢?"朱皇帝觉得奇怪,立刻亲自带人查看。果然,家家户户都贴了"福"字,还有一家把"福"字贴倒了。

皇帝大怒,立即命令:"传令下去,把这家满门抄斩!"

随皇帝一起去查看的马皇后见大事不好,情急之中想到一个办法,忙说:"陛下,那户人家知道您今日来访,故意把'福'字贴

dào le　　shì zhǐ　　fú dào　le ya　　shì shuō nín de dào lái gěi tā men jiā dài
倒了，是指'福到'了呀！是说您的到来给他们家带

lái le fú qi hé hǎo yùn　　zhè shì dà jí dà lì ya
来了福气和好运，这是大吉大利呀！"

huáng dì yī tīng yǒu dào lǐ　　biàn xià lìng fàng rén　　yī cháng dà huò zhōng
皇帝一听有道理，便下令放人，一场大祸终

yú xiāo chú le
于消除了。

cóng nà yǐ hòu　　tiē fú zì de xí sú jiù zhè yàng liú chuán xià lái le
从那以后，贴福字的习俗就这样流传下来了。

wú lùn xiàn zài hái shi guò qù　　zhè ge xí sú dōu jì tuō le rén men duì xìng fú
无论现在还是过去，这个习俗都寄托了人们对幸福

shēng huó de xiàng wǎng　　duì měi hǎo wèi lái de zhù yuàn
生活的向往，对美好未来的祝愿。

传说一点通

　　从故事中不难看出，马皇后是个非常善良的人，她不愿意让无辜的百姓丧命；同时从马皇后让全城人贴福字和她对皇帝的劝阻中，也能看出她的智慧。马皇后处惊不乱，最终使坏事变成了好事，让人感到欣喜。

压岁钱

中国最早的压岁钱出现在汉代，又叫压祟钱。它并不在市面上流通，而是铸成钱币形式的玩赏物，有避邪的功能。关于压岁钱，还有一个有趣的故事。

传说古代有一个叫"祟"的妖怪，浑身漆黑，两手却是白的。每到除夕他就会出来，专门摸睡熟小孩的脑门。小孩被摸过后就会发高烧、说梦话，退烧后就会变得痴呆、疯癫。因此每年除夕，大人们怕祟伤害自己的孩子，

zhǐ hǎo zhěng yè diǎn zhe dēng bù shuì jiào　zhè jiù shì　shǒu suì
只好整夜点着灯不睡觉。这就是"守祟"。

　　dāng shí　jiā xīng fǔ yǒu yī hù xìng guǎn de rén jiā　fū qī liǎ yī zhí
　　当时,嘉兴府有一户姓管的人家,夫妻俩一直
méi hái zi　zhí dào nián jì hěn dà le　cái dé le yī
没孩子,直到年纪很大了,才得了一
gè ér zi　zì rán shì bǎo bèi de hěn　zhēn shì pěng zài
个儿子,自然是宝贝得很,真是捧在
shǒu li pà shuāi le　hán zài zuǐ li pà huà le
手里怕摔了,含在嘴里怕化了。

　　chú xī nà tiān　fū qī liǎ wèi fáng zhǐ suì lái
　　除夕那天,夫妻俩为防止祟来
qīn rǎo ér zi　yī
侵扰儿子,一
dà zǎo jiù xiǎo xīn
大早就小心

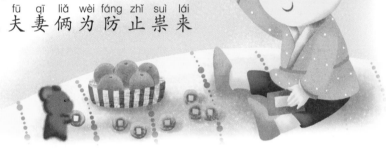

de shǒu zhe ér zi
地守着儿子,
lún liú dòu tā shuō huà　péi tā wán
轮流逗他说话,陪他玩。

　　tiān hēi le　zhàng fu xīn tòng qī zi　jiù shuō　nǐ qù xiū xi　wǒ
　　天黑了,丈夫心痛妻子,就说:"你去休息,我
shǒu zhe ér zi
守着儿子。"

　　qī zi qù shuì le　zhàng fu shí zài xiǎng bù chū gěi ér zi wán shén
　　妻子去睡了。丈夫实在想不出给儿子玩什
me　jiù ná hóng zhǐ bāo le　bā méi tóng qián dòu ér zi wán　ér zi bǎ tóng qián
么,就拿红纸包了八枚铜钱逗儿子玩。儿子把铜钱
bāo le yòu chāi　chāi le yòu bāo　jiù zhè me wán le hěn jiǔ
包了又拆,拆了又包,就这么玩了很久。

　　yè yǐ jīng hěn shēn le　ér zi wán lèi le yě shuì zháo le　zhàng fu
　　夜已经很深了,儿子玩累了也睡着了。丈夫
wǎng lú zi li tiān le bǎ huǒ　rán hòu huí dào chuáng biān xiǎo xīn de shǒu hù zhe
往炉子里添了把火,然后回到床边小心地守护着
ér zi
儿子。

屋里暖烘烘的。

听着儿子沉稳的呼吸声，丈夫也涌上一阵阵睡意。

"一定不能睡着哇……"丈夫对自己说，但是他实在太累了，忍不住打了个盹。就在这时，突然吹来一阵阴风，一个黑影从门缝里钻了进来。祟跑进屋里，直奔孩子的床前。他伸出白手刚要摸孩子的头，突然从孩子的枕边射出一道金光，利剑一般直刺祟的白手。祟被刺痛了，尖叫着逃出屋子。

夫妻俩都被祟的叫声惊醒了。

"祟来了！"夫妻两个吓出一身冷汗！

虽然祟来过了，可是孩子平安无事。这是怎么回事呢？夫妻俩想了半天，终于发现是枕边红纸包着的铜钱让孩子躲过了这场灾难。

事情很快就传扬开来，于是大家纷纷效仿：除夕用红纸包上钱后放在孩子的枕边，帮助孩子躲过祟的伤害。

后来，人们就把这种钱叫作"压祟钱"。"祟"与"岁"的发音相同，日久天长，就被称作"压岁钱"。

传说一点通

　　从这个故事中，我们可以读到父母对孩子深深的爱意。在我们成长的过程中，不可避免地会遇到各种各样的"祟"——险境，但是有亲情相伴，总能化险为夷。

tiē mén shén
贴门神

传说门神是替人家看门的，可以驱鬼辟邪，保障家人和财产的安全。中国民间传说中的门神有很多，但以唐朝的两位开国大将——秦琼和尉迟恭最为著名。

秦琼又叫秦叔宝，山东历城人。他武艺高强，人称神拳太保、双锏大将，可谓"锏打山东六府，马踏黄河两岸"。尉迟恭又叫尉迟敬德，骁勇善战，可以"日占三城，夜夺八寨"。秦琼和尉迟恭两员大将都为唐朝的建立立下了汗马功劳。他们所带领的部队也成为唐军的精锐部队。

据说唐太

宗李世民早年领军征战,杀人无数。他当了皇帝后,身体极差,夜里常常做噩梦,梦见恶鬼纠缠,向他索命。他请了许多名医,却没有一个能治好他这种怪病。

李世民最后受不住噩梦的折磨,就把自己的痛苦告诉了众将领。

大将秦琼说:"我平生杀人就像剖西瓜,被我杀死的人像蚂蚁那么多,我还怕什么鬼怪呢?我愿意和尉迟敬德一起穿着战袍守在您的宫门外。"

当晚,秦琼就和尉迟恭一起守在宫门外。果然,这一晚李世民睡了一个安稳觉。

打那以后,每到天黑,两员大将就一起守在宫门外。李世民虽然可以睡得安稳了,但他一想到两员大将守在宫门外彻夜不眠,心里就非常不安。

"这样下去也不是个办法呀!"

李世民考虑再三,

zhōng yú xiǎng dào yī gè hǎo bàn fǎ   tā ràng huà gōng huà xià liǎng yuán dà jiàng
终于想到一个好办法：他让画工画下两员大将

shēn chuān kǎi jiǎ shǒu zhí yù fǔ hé gōng jiàn nù mù fā wēi de yàng zi
身穿铠甲、手执玉斧和弓箭、怒目发威的样子，

ràng rén xuán guà zài gōng mén shang
让人悬挂在宫门上。

zì cóng bǎ liǎng yuán dà jiàng de huà xiàng guà zài gōng mén shang hòu   lǐ
自从把两员大将的画像挂在宫门上后，李

shì mín jiù bù zài zuò è mèng le   yè yè dōu néng shuì de hěn ān wěn
世民就不再做噩梦了，夜夜都能睡得很安稳。

dà jiā dōu shuō zhè shì yīn wèi guǐ guài men jù pà tiē zài gōng mén shang
大家都说这是因为鬼怪们惧怕贴在宫门上

de liǎng wèi dà jiàng de huà xiàng   zài yě bù gǎn lái jiū chán le
的两位大将的画像，再也不敢来纠缠了。

zhè zhǒng zuò fǎ bèi hòu rén yán xí xià lái   jiù chéng le xiàn zài tiē mén
这种做法被后人沿袭下来，就成了现在贴门

shén de xí sú   rén men dōu xiāng xìn   tiē zài dà mén shang de mén shén xiàng
神的习俗。人们都相信，贴在大门上的门神像

néng zhèn zhù è mó huò zāi xīng bǎo yī jiā dà xiǎo píng ān
能镇住恶魔或灾星，保一家大小平安。

传说一点通

贴门神最早为帝王专有，后来在民间广泛流行，说明平安是所有人的愿望。今天，人们喜欢在节日里贴门神，少了许多过去的迷信色彩，而对它寄予了更多的快乐和希望。

yuè bing
月饼

中秋节吃月饼的习俗，相传始于元朝末年。

当时，中原广大人民不堪忍受元朝统治阶级的残酷统治，纷纷揭竿而起。在各支农民起义的队伍里，有一支的头领叫朱元璋。

朱元璋准备联合各路抗元力量大起义，时间就定在八月十五的晚上。为了传递消息，他派出许多人四处联络。不料，派出去的人大多没有按时回来，大起义的行动眼看不能如期进行。

有人向朱元璋报告："现在朝廷官兵搜查得十分严密，传递消息很困难，是不是考虑改变

起义的日子？”

朱元璋一听心急如焚，急忙把军师刘伯温找来商议。"军师，快想个办法，不然就要误大事了！"朱元璋急得像热锅上的蚂蚁。

刘伯温深知情况的严重，八月十五起义的日子就是他提议的，他的心里比朱元璋还要急。但是刘伯温在屋里来回踱着步子，一句话也没有说。当他走到朱元璋的书桌前时，突然停下了脚步，望着桌上的一盘点心出了神。点心是一种带馅的小饼，做得特别精致，是为朱元璋准备的夜宵。

"好东西，好东西呀！"突然，刘伯温哈哈大笑起来。只见他拿起两块点心，一块递给朱元璋，一

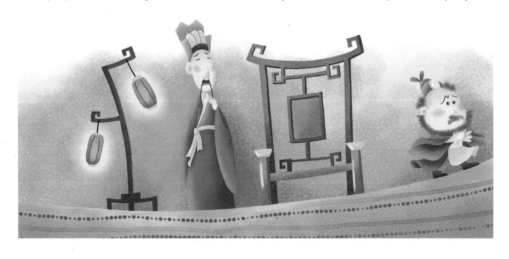

块塞进了自己的嘴里。

朱元璋气恼地一掌把点心打落到地上："都什么时候了，你还有心情吃点心？"

刘伯温笑着说："大帅，我们就靠这点心把消息送出去！"然后，他如此这般地把自己的妙计说给朱元璋听。

朱元璋立刻采纳了刘伯温的妙计，命令手下把写有"八月十五夜大起义"的字条藏入小饼里面，然后派人分头送给各路抗元力量，通知他们在八月十五的夜晚一起行动。

就这样，大起义的消息很快传递开了。到了八月十五夜，各路抗元力量一齐响应，如星火

liáo yuán，bǎ guān bīng men dǎ de dà bài，hěn kuài gōng xià yuán dà dū，qǐ yì
燎原，把官兵们打得大败，很快攻下元大都，起义

zuì zhōng qǔ dé le chéng gōng
最终取得了成功。

cǐ hòu，měi nián bā yuè shí wǔ de wǎn shang，zhū yuán zhāng dōu ràng quán
此后，每年八月十五的晚上，朱元璋都让全

tǐ jiàng shì yǔ mín tóng lè，bìng jiāng dāng nián qǐ bīng shí mì mì chuán dì xìn
体将士与民同乐，并将当年起兵时秘密传递信

xī de xiǎo bǐng zuò wéi jié lìng gāo diǎn shǎng cì qún chén，rén chēng"yuè bing"
息的小饼作为节令糕点赏赐群臣，人称"月饼"。

cóng cǐ，zhōng qiū jié chī yuè bing de xí sú jiù zhè yàng zài mín jiān chuán kāi le
从此，中秋节吃月饼的习俗就这样在民间传开了。

传说一点通

关于中秋节吃月饼的习俗，民间流传着很多版本。这是其中的一种。如今，月饼已成了众人喜爱的食品。经过长期的演变和发展，月饼的花样不断翻新，品种不断增加，地区的差异也使月饼的外观、口感、味道各具风味。

mán tou
馒头

mán tou shì wǒ guó miàn shí zhōng zuì cháng jiàn de　kě fēn wéi liǎng
馒头是我国面食中最常见的，可分为两

zhǒng 　　　yī zhǒng shì wú xiàn de bái mán tou 　yī zhǒng shì yǒu xiàn de huā
种——一种是无馅的白馒头，一种是有馅的花

sè mán tou 　yòu chēng bāo zi 　bái mán tou chú le yǒu dà xiǎo zhī fēn wài 　qū
色馒头，又称包子。白馒头除了有大小之分外，区

bié bù dà　bāo zi de huā yàng zé fēi cháng duō 　kě yǐ bāo shàng gè zhǒng xiàn
别不大；包子的花样则非常多，可以包上各种馅

liào 　zuò chéng ròu bāo 、cài bāo 、dòu shā bāo 、tāng bāo děng děng 　mán tou de
料，做成肉包、菜包、豆沙包、汤包等等。馒头的

qǐ yuán jù jīn yǐ yǒu yī qiān qī bǎi duō nián 　tā de chuàng zào rén jù shuō shì
起源距今已有一千七百多年。它的创造人据说是

jiā yù hù xiǎo de sān guó jūn shì jiā zhū gě liàng
家喻户晓的三国军事家诸葛亮。

xiāng chuán sān guó shí 　jiàn níng háo qiáng mèng huò qǐ bīng fǎn shǔ 　chéng
相传三国时，建宁豪强孟获起兵反蜀。丞

xiàng zhū gě liàng zài qī qín qī zòng mèng huò zhī hòu 　zhōng
相诸葛亮在七擒七纵孟获之后，终

yú chéng gōng de shōu fú le mèng huò 　tā men zài bān shī
于成功地收服了孟获。他们在班师

回朝时路过泸水，就是今天的金沙江。这里地势险峻，江水更是无风三尺浪，水面上的漩涡一个接着一个，让人看了心中发寒。

就在大军要过泸水时，忽然乌云密布，狂风骤起，江上水流湍急，巨浪拍岸，发出一阵阵震耳欲聋的响声。这样的情形，怎么过得了江呢？

诸葛亮找来两个当地人打听。他们说："上次丞相渡泸水之后，水边就夜夜鬼哭狼嚎，从黄昏到天明，从不断绝。"

孟获也对诸葛亮说："这里以前打仗死了许多人。他们死后的冤魂不散，需要祭奠才能过去。"

诸葛亮问："祭品是什么呢？"

"四十九颗人头！"孟获说。

"无缘无故地杀人？

wàn wàn shǐ bu de　　zhū gě
万 万 使 不 得！" 诸 葛

liàng jiān jué de shuō
亮 坚 决 地 说。

　　huà suī zhè yàng shuō　dàn
　　话 虽 这 样 说，但

shuǐ miàn shang yīn fēng sì qǐ
水 面 上 阴 风 四 起，

è làng xiōng yǒng　shì bīng hé
恶 浪 汹 涌，士 兵 和

zhàn mǎ dōu jīng huāng shī cuò　kàn lái bù jì diàn shì bù xíng de　bù yòng rén
战 马 都 惊 慌 失 措。看 来 不 祭 奠 是 不 行 的。不 用 人

tóu zuò jì pǐn　yòu yǒu shén me biàn tōng de bàn fǎ ne　zhū gě liàng kǎo lǜ zài
头 做 祭 品，又 有 什 么 变 通 的 办 法 呢？诸 葛 亮 考 虑 再

sān　zhōng yú yǒu le zhǔ yi　tā mìng lìng shì bīng shā niú zǎi yáng　jiāng niú
三，终 于 有 了 主 意。他 命 令 士 兵 杀 牛 宰 羊，将 牛

yáng ròu duò chéng ròu jiàng　bàn chéng ròu xiàn　rán hòu zài wài miàn bāo shàng miàn
羊 肉 剁 成 肉 酱，拌 成 肉 馅，然 后 在 外 面 包 上 面

fěn　zuò chéng rén tóu mú yàng　rù lóng tì zhēng shú
粉，做 成 人 头 模 样，入 笼 屉 蒸 熟。

zhè zhǒng jì pǐn bèi chēng zuò　mán shǒu
这 种 祭 品 被 称 作 "蛮 首"。

zhū gě liàng jiāng zhè xiē niú
诸 葛 亮 将 这 些 牛

yáng ròu hé miàn fěn zuò de mán shǒu
羊 肉 和 面 粉 做 的 蛮 首

拿到泸水边，亲自摆在供桌上拜祭一番，然后一个个丢进泸水。

奇怪的是，受祭后的泸水顿时云开雾散，风平浪静。大军顺顺当当地渡了过去。

从此以后，人们经常用蛮首做祭品进行各种祭祀。由于"首"和"头"同义，"蛮"和"馒"同音，后来人们就把"蛮首"称作"馒头"。馒头祭祀后被食用，人们从中得到启示，又把馒头当成了一种食品。

传说一点通

故事中，诸葛亮不用真人做祭品而选用馒头，让我们不仅感受到了诸葛亮的非凡智慧，也感受到了他的爱民精神。这是他深受老百姓爱戴的原因之一。

涮羊肉
shuàn yáng ròu

据说涮羊肉起源于元代,它的出现与元世祖忽必烈有关。

七百多年前,元世祖忽必烈统率大军远征。一次,他带领部队从晚上开始与敌人交手,一直战到第二天下午,结果人困马乏,饥肠辘辘。于是他吩咐部队就地休息,并让伙夫杀羊做饭。

伙夫杀羊取肉正准备好好施展一下自己的手艺,忽见一匹快马飞奔而来。

还没等马停稳,探子就从马背上跳下来,直奔帐中。

"禀告主帅，敌军大队人马已追赶而来，离此仅有十里路程！"探子高声叫道。

忽必烈立刻跳起身："传令下去，集合队伍立刻出发！"

伙夫见部队马上要走，大帅一口羊肉也没吃到，心里急得不行。他不顾一切地扑到忽必烈面前，恳切地说："大帅，再等半个时辰，吃了再走吧！您已经饿了一天了！"

忽必烈一把推开伙夫说："都什么时候了，还顾得上吃！把火熄了，快走！"

吃清炖羊肉当然来不及了，生羊肉又不能端上来让大帅吃，这可怎么办呢？伙夫恨不得立刻变出一盆香喷喷的羊肉来。

忽必烈动作迅速地把披挂穿起来，然后拿起

宝剑大步流星地朝帐外走去。

炉火烧得正旺，锅里的水不停地翻滚着。伙夫望了一眼大帅手里拿着的宝剑，突然有了主意。只见他飞快地切了十多片薄薄的羊肉，放在锅里的沸水中搅拌了几下，待肉色一变，马上捞入碗中，然后撒上细盐、葱花、姜末等作料，双手捧给正要出征的大帅。

也许是羊肉的香味吸引了忽必烈，也许是他感到饥饿难忍，只见他停下脚步，接过碗吃了起来。

"好肉！好肉！再拿些来！"忽必烈边吃边连声夸赞。

伙夫立刻又切了几碗羊肉片，在沸水中快速烫过，然后拌上作料送上来。

忽必烈将几碗羊肉一扫而光后，一挥手将碗扔到地上，随后翻身上马率军迎敌。

这一仗，忽必烈率军大获全胜。庆功宴上，

hū bì liè tè bié diǎn le zhàn qián chī de nà
忽必烈特别点了战前吃的那

zhǒng yáng ròu piàn zhè huí huǒ fū jīng xīn tiāo
种羊肉片。这回伙夫精心挑

xuǎn le yōu zhì mián yáng tuǐ ròu qiē chéng
选了优质绵羊腿肉,切成

jūn yún de báo piàn zài pèi shàng má jiàng
均匀的薄片,再配上麻酱、

fǔ rǔ là jiāo jiǔ cài huā děng duō zhǒng
腐乳、辣椒、韭菜花等多种

tiáo liào qǐng jiàng shì men pǐn cháng
调料,请将士们品尝。

jiàng shì men chī hòu dōu zàn bù jué kǒu
将士们吃后都赞不绝口,

hū bì liè gèng shì xǐ xiào yán kāi
忽必烈更是喜笑颜开。

zhè shì dào shén me cài ya hū bì liè lè hē hē de wèn
"这是道什么菜呀?"忽必烈乐呵呵地问。

huǒ fū jí máng bào gào cǐ cài shàng wú míng zi qǐng dà shuài cì míng
伙夫急忙报告:"此菜尚无名字,请大帅赐名。"

hū bì liè yī biān shuàn zhe yáng ròu piàn yī biān xiào zhe shuō dào wǒ
忽必烈一边涮着羊肉片,一边笑着说道:"我

kàn jiù jiào shuàn yáng ròu ba
看就叫'涮羊肉'吧。"

传说一点通

涮羊肉原本是伙夫急中生智做出来的一道菜,现在已是大家最熟悉的一种羊肉做法了。隆冬之际,当一家人围坐在餐桌旁,品尝着肉嫩汤美的涮羊肉,立刻会感觉暖气洋洋,浑身舒坦。据说,清朝光绪年间,北京一家羊肉馆的掌柜买通太监,从皇宫中偷出了涮羊肉的作料配方,才使它摆上了寻常百姓的餐桌。

bīng táng hú lu
冰糖葫芦

bīng táng hú lu shì yòng shān zhā zuò chéng de　wài miàn guǒ zhe jīng yíng tòu
冰糖葫芦是用山楂做成的,外面裹着晶莹透

liang de táng zhī　zài yòng zhú qiān chuān qǐ lái　jiù chéng le yòu hǎo kàn yòu hǎo
亮的糖汁,再用竹签穿起来,就成了又好看又好

chī de shí pǐn　dà ren hái zi dōu xǐ huan
吃的食品,大人孩子都喜欢。

tí qǐ bīng táng hú lu de lái lì　jiù yào shuō dào nán sòng de huáng dì
提起冰糖葫芦的来历,就要说到南宋的皇帝

sòng guāng zōng　sòng guāng zōng zài wèi qī jiān　tā zuì chǒng ài de huáng guì
宋光宗。宋光宗在位期间,他最宠爱的黄贵

fēi shēn tǐ bù shì　zhěng tiān méi jīng dǎ cǎi　miàn huáng jī shòu　bù sī yǐn
妃身体不适,整天没精打采,面黄肌瘦,不思饮

shí　sòng guāng zōng hěn zháo jí　sān tiān liǎng tóu chuán yù yī gěi huáng guì fēi
食。宋光宗很着急,三天两头传御医给黄贵妃

kàn bìng
看病。

御医们用了许多贵重药品，试了许多方子，黄贵妃的病却始终不见好转。

"废物！全都是废物！"宋光宗把御医大骂一顿，又对他们说，"如果再过十天半月，黄贵妃的病还不见起色，你们一个个都得掉脑袋！"

御医们吓坏了，就请皇帝的宠臣出主意，然后在城里张贴皇榜求医。

皇榜张贴了好几天也没人来揭，御医们急得像热锅上的蚂蚁。

一天，一位江湖郎中径直走到皇榜前，只看了几眼就一把揭下了皇榜。守卫立刻把他带进宫中。

"你当真能治好贵妃的病？治不好，你可得掉脑袋！"宋光宗对那人说。

"我祖上就是行医的，在江湖上行走多年，各种疑难病症见得多了。贵妃的病我一定治得好！"江湖郎中很有把握地说。

宋光宗立刻让江湖郎中为黄贵妃诊脉。

江湖郎中最后开出药方："将红果（即山楂）用冰糖煎熬，每顿饭前吃五至十枚，不出半月病准见好。"

这么简单的药方就能治好贵妃的病？皇帝根本不相信。皇帝把郎中留在了宫里，说是请他再给贵妃治病，其实是想验证他的药方灵不灵，如果贵妃的病不见起色，江湖郎中可就性命难保了。

好在黄贵妃按药方服食后，果然如期病愈了。

宋光宗自然大喜，赏了江湖郎中不少钱财，还准备留他在宫中当御医。江湖郎中心里明白"伴君如伴虎"，在宫里当御医可不是好玩的，所以就找了个理由出了宫，继续当他的江湖郎中去了。

后来，这种药方传到民间，老百姓又把山楂一个个串起来卖，就成了今天的冰糖葫芦。

传说一点通

中国是中草药的发源地。古代先贤对中草药进行了深入的探索和研究，我国的药用植物有上万种之多。现代医学发现，山楂的药用功效很多，特别有助于消化。

jiǔ sè lù
九色鹿

zài yī zuò shān lín li shēng huó zhe xǔ duō xiǎo dòng wù yī tiān dòng
在一座山林里，生活着许多小动物。一天，动

wù men fā xiàn shān lín li lái le yī wèi xīn kè rén jiǔ sè lù tā de
物们发现山林里来了一位新客人——九色鹿。她的

jiǎo xiàng xuě yī yàng bái piào liang de pí máo shang yǒu jiǔ zhǒng yán sè zài
角像雪一样白，漂亮的皮毛上有九种颜色，在

yáng guāng de zhào yào xià shǎn zhe mèng yī yàng de guāng cǎi
阳光的照耀下闪着梦一样的光彩。

jiǔ sè lù néng dài dà jiā zhǎo dào zuì nèn de cǎo zuì hǎo chī de guǒ
九色鹿能带大家找到最嫩的草、最好吃的果

zi hái néng dài dà jiā qù shān lín li zuì měi de dì fang xiǎo dòng wù men
子，还能带大家去山林里最美的地方。小动物们

dōu xǐ huan hé tā zài yī qǐ jiǔ sè lù chéng le dà jiā de hǎo péng you
都喜欢和她在一起，九色鹿成了大家的好朋友。

这天，九色鹿正在山林里散步，突然远处传来一阵呼救声："救命啊！救命啊！"

九色鹿飞快地跑过去，原来是个捕蛇人掉进了恒河，正在拼命挣扎。九色鹿冲进水里，把捕蛇人背上岸来。

捕蛇人感动得哭了起来："我怎么才能报答你的救命之恩呢？让我永生永世做你的仆人吧！"

九色鹿笑笑说："没关系。如果你真的想报答我，那就请不要把见到我的事告诉别人！"

捕蛇人立刻拍着胸脯保证说："我向上天发誓，绝不会告诉任何人！否则，天打五雷轰！"

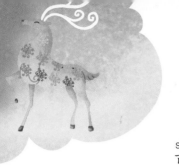

离山林不远的地方有一座城市。一天,王后做了一个梦,梦见一只长着雪白的角、有九色皮毛的九色鹿。王后很想得到九色鹿的皮毛,为此一病不起。

国王很宠爱王后,就安慰她说:"我是国王,一定能找到那只九色鹿。"

于是,国王贴出告示:凡能抓到九色鹿的人,送他一半江山,并送他享用不尽的财宝。

这天,捕蛇人路过城门口,见围着一群人,就跑过去凑热闹。看到告示,捕蛇人不禁动了心。他揭下告示,对守卫说:"我知道九色鹿的行踪,你们快带我去见国王吧!"

见了国王,他向国王述说了自己的经历。国王大喜,立刻带兵

6

gēn zhe bǔ shé rén qù zhuā jiǔ sè lù
跟着捕蛇人去抓九色鹿。

tā men lái dào héng hé biān què shǐ zhōng zhǎo
他们来到恒河边,却始终找

bù dào jiǔ sè lù de yǐng zi guó wáng xīn jí rú
不到九色鹿的影子。国王心急如

fén nǎo huǒ de shuō yào shi zhǎo bù dào jiǔ sè lù
焚,恼火地说:"要是找不到九色鹿,

xiǎo xīn nǐ de xìng mìng
小心你的性命!"

bǔ shé rén zhuàn zhe xiǎo yǎn jing shuō dà wáng
捕蛇人转着小眼睛说:"大王

bié jí wǒ zì yǒu bàn fǎ yǐn jiǔ sè lù chū lái
别急,我自有办法引九色鹿出来!"

bǔ shé rén shuō zhe zǒu dào hé biān zhǎo le gè
捕蛇人说着走到河边,找了个

shāo qiǎn de dì fang tiào xià qù rán hòu gù zuò jīng
稍浅的地方跳下去,然后故作惊

huāng de hū jiù jiù mìng a jiù mìng a
慌地呼救:"救命啊!救命啊!"

bù yī huìr jiǔ sè lù guǒ rán lái le tā
不一会儿,九色鹿果然来了。她

kàn jiàn bǔ shé rén hé tā shēn hòu de jūn duì mǎ shàng
看见捕蛇人和他身后的军队,马上

míng bai le yī qiè dàn tā yǐ jīng bèi jūn duì céng céng
明白了一切。但她已经被军队层层

bāo wéi xiǎng táo yě bù kě néng le
包围,想逃也不可能了。

bǔ shé rén kuáng jiào zhe kuài zhuā ya bié
捕蛇人狂叫着:"快抓呀,别

ràng tā pǎo le rán hòu tā yòu zhuǎn shēn duì guó wáng
让她跑了!"然后他又转身对国王

shuō nín gào shi shang shuō de shǎng cì kě yī dìng
说:"您告示上说的赏赐可一定

děi gěi wǒ ya
得给我呀!"

国王正要让士兵们放箭，九色鹿说："请问国王，你怎么知道我的下落？"

国王指着捕蛇人说："是他把你的事告诉我的。"

九色鹿就把那天救捕蛇人的事告诉了国王，然后气愤地对捕蛇人说："我救了你的性命，你却恩将仇报。你违背了自己的誓言，是个十足的虚伪小人！"

捕蛇人恼怒地从士兵手里夺过弓箭，向九色鹿射去。只见九色鹿身上忽地现出一圈九色光环，把身体护住了。

"神鹿哇！"大家都被眼前的景象惊呆了。

国王开始为自己的做法感到愧疚，就指着捕蛇人说："你是个恩将仇报的小人！

我怎么会听信
你的话来捕捉
神鹿呢！"

士兵们纷
纷将手中的弓箭指向捕蛇人。捕蛇人吓
得没命地跑起来，结果脚下一滑，掉进了河
水里。只见他扑腾了几下，就没影了。

九色鹿对国王说："没有什么比恩将仇报的
小人更卑贱，更邪恶。"说完，全身发出令人炫目
的光彩，然后猛地向空中一跃，渐渐消失在蓝
天中。

传说一点通

在著名的敦煌壁画中，也有关于九色鹿故事
的画面。这个绚丽多姿的动人故事宣扬了忠诚和
仁义。九色鹿不顾生命危险救了捕蛇人，捕蛇人却
见利忘义，出卖了九色鹿。在九色鹿面前，捕蛇
人显得更加丑陋、卑劣，最终落得自取灭亡的下场，
令人拍手称快。

mò yú zuò zéi
墨鱼做贼

dà hǎi li　suǒ yǒu de dòng wù dōu hěn qín láo　zhǐ yǒu mò yú zhěng tiān
大海里，所有的动物都很勤劳，只有墨鱼整天
hào chī lǎn zuò　hái tè bié xǐ huan chuī niú
好吃懒做，还特别喜欢吹牛。

zhè tiān yī zǎo　mò yú dào qīng xiè jiā chuàn mén　jìn mén shí zhèng gǎn
这天一早，墨鱼到青蟹家串门，进门时正赶
shàng qīng xiè jiā chī zǎo diǎn　qīng xiè hěn kè qi de shuō　mò yú　yī qǐ
上青蟹家吃早点。青蟹很客气地说："墨鱼，一起
chī diǎnr　zǎo fàn ba
吃点儿早饭吧！"

mò yú yī diǎnr　yě bù tuī cí　mǎ shàng shuō　hǎo
墨鱼一点儿也不推辞，马上说："好
hǎo hǎo　wǒ zhèng è zhe ne
好好，我正饿着呢！"

tā zuò xià lái　yī kǒu qì hē le sān dà wǎn
他坐下来，一口气喝了三大碗
miàn tāng　chī bǎo le　mò yú yě méi yǒu yào zǒu de yì
面汤。吃饱了，墨鱼也没有要走的意
si　tā zuò xià lái hé qīng xiè chuī niú　cóng zì jǐ de
思，他坐下来和青蟹吹牛，从自己的
zǔ zong bā dài shuō qǐ　yī shuō jiù dào le zhōng wǔ
祖宗八代说起，一说就到了中午。

这时候，青蟹家的中饭也做好了。青蟹又很客气地说："墨鱼，一起吃点儿中饭吧！"

墨鱼立刻说："好好好，说了这么多话，我真是饿了呢！"他拿过碗，一口气喝了四大碗面汤，把青蟹家的午饭都吃光了。

墨鱼又开始吹牛，说自己如何去深海里探险："我发现了一个山洞，里面全是宝藏。里面的宝贝太多了，我根本拿不了！等到有一天我把那里的宝贝全拿来，我就是海里最富有的啦！"墨鱼说得有鼻子有眼，越说越像真的。

青蟹有点儿不耐烦了，就教育他说："你不能老是这么乱说一气。如果你再不做点儿实事，早晚有

yī tiān dà jiā dōu huì tǎo yàn nǐ de
一天大家都会讨厌你的!"

mò yú gēn běn tīng bù jìn qīng xiè de huà hái dǎ suàn jì xù shuō xià qù
墨鱼根本听不进青蟹的话,还打算继续说下去。

qīng xiè hěn fán mò yú zhǐ hǎo shuō wǒ yǒu shì yào chū mén qǐng nǐ
青蟹很烦墨鱼,只好说:"我有事要出门,请你

yǐ hòu zài lái wán ba
以后再来玩吧!"

mò yú zhǐ dé cóng qīng xiè jiā chū lái le tā yòu kāi shǐ wèi wǎn fàn
墨鱼只得从青蟹家出来了。他又开始为晚饭

zháo jí jué dìng zài zhǎo gè néng piàn chī piàn hē de rén jiā
着急,决定再找个能骗吃骗喝的人家。

tā pǎo dào dài yú jiā dài yú yuǎn yuǎn de kàn dào tā lái le lián máng
他跑到带鱼家。带鱼远远地看到他来了,连忙

suǒ shàng mén zǒu le
锁上门,走了。

mò yú yòu pǎo qù zhǎo huáng yú huáng yú zhèng zài jiā li chàng gē
墨鱼又跑去找黄鱼。黄鱼正在家里唱歌。

mò yú gāo xìng jí le wǒ kě yǐ xiān tīng huáng yú chàng gē rán hòu zài zài
墨鱼高兴极了:"我可以先听黄鱼唱歌,然后再在

tā jiā chī wǎn fàn
他家吃晚饭。"

mò yú qiāo le qiāo mén huáng yú cóng chuāng zi wàng chū qù jiàn shì
墨鱼敲了敲门。黄鱼从窗子望出去,见是

mò yú lái le lì kè bù zuò shēng le
墨鱼来了,立刻不作声了。

墨鱼没有办法，只好继续东游西荡。

他跑到海滩上，发现海滩上有一大群人，墨鱼很好奇："出什么事了？"他也跑去看热闹，原来是大文豪苏轼正在那里写诗作画。

苏轼从墨袋里拿出一张墨研开来，然后往纸上不停地又写又画。不一会儿，一幅水墨长卷展现在众人面前。周围的人见了，不时发出一阵阵惊叹，都夸赞他画得好，写得棒。

墨鱼心想："大家为什么夸这个苏学士呢？就是因为他有那块墨！我如果把这宝物偷来，不也成大文豪了？还有谁敢瞧不起我！"

趁苏轼不防，墨鱼纵身跳进墨袋，把

yī kuài wū hēi fā liàng de xiāng mò tūn jìn dù zi li
一块乌黑发亮的香墨吞进肚子里。

wǒ xiàn zài kě bù shì yī bān de mò yú le　　wǒ de běn shi hé sū
"我现在可不是一般的墨鱼了！我的本事和苏
shì bù xiāng shàng xià ne　　mò yú bù guǎn jiàn le shéi　dōu huì zhè me shuō
轼不相上下呢！"墨鱼不管见了谁，都会这么说。

dà jiā hěn hào qí　jiù shuō　　nà jiù qǐng nǐ biǎo yǎn gěi wǒ men kàn kàn
大家很好奇，就说："那就请你表演给我们看看！"

mò yú gēn běn bù zhī dào gāi zěn me xiě　yě bù zhī dào gāi zěn me huà
墨鱼根本不知道该怎么写，也不知道该怎么画，
jí de yào mìng　zhǐ hǎo cóng kǒu li pēn chū yī kǒu mò　zhuǎn shēn táo diào le
急得要命，只好从口里喷出一口墨，转身逃掉了。

mò yú tōu mò de shì hěn kuài zài hǎi zú men zhōng jiān chuán kāi le　cóng
墨鱼偷墨的事很快在海族们中间传开了。从
nà shí qǐ　dà jiā jiù jiào tā wū zéi le　mò yú yě jué de tōu mò de shì hěn
那时起，大家就叫他乌贼了。墨鱼也觉得偷墨的事很
bù guāng cǎi　suǒ yǐ jīng cháng huì pēn chū yī kǒu mò　rán hòu qiāo qiāo táo zǒu
不光彩，所以经常会喷出一口墨，然后悄悄逃走。

传说一点通

墨鱼好吹牛，游手好闲，不务正业，不但不改
正错误，还去偷别人的东西，真是个让人讨厌的家
伙。我们做事一定要认认真真，做人一定要老老实
实，千万别学墨鱼，否则只会让人厌烦，最终一个
朋友也没有。

wū guī lǚ xíng
乌龟旅行

　　从前，在中南美洲的海地有一只乌龟，他和一只鸽子是好朋友。每天早上，乌龟都会带着一条小鱼或者几只小虾，早早地来到海滩上。这是他为好朋友鸽子准备的早餐。

　　鸽子来了，向乌龟问好，吃过早餐后就飞到各处看望朋友。晚上，他会回到海滩上，把看到、听到的有趣的事情告诉乌龟。

　　"城里有好多长圆脚的怪物，人们管它叫'汽车'。"

　　"住在城里的人虽然不养牛，但是他们照样能喝到牛奶。"

"住在城里的老鼠可比乡下的老鼠阔气。人住多大的房子,他们就住多大的房子。"

……

乌龟通过鸽子知道了好多事情,所以他是这片海滩上最有学问的乌龟。

天渐渐变冷,冬天快来了。一天,鸽子有些难过地说:"过些天,我和朋友们就要飞到纽约去了。"

乌龟听了也很难过:"我真不敢想,你不在的日子我会多寂寞呀!"

为了安慰乌龟,鸽子每天会飞得更远一些,回来的时候把更多有趣的事情说给乌龟听。终于有一天,鸽子要和朋友们一起走了。晚上,他来向乌龟告别。

"明天我就要走了,等天暖和了我再回来看你。"鸽子对乌龟说。

"纽约是什么样子的呢?"乌龟想到了这个问题。

"有高楼,有街道,有行人!"鸽子说。

"听你这么说,纽约和这里根本没什么两样。你还不如留在这儿,就住在我的洞里过冬呢!"乌龟不以为然地说。

"你还是和我一起去看看纽约吧!我们一起去旅行,多有意思呀!"鸽子热情地邀请。

"我没有翅膀,怎么能和你一起去呢?"乌龟很无奈。

第二天一早,鸽子拿着一根树枝来找乌龟。他高兴地对乌龟说:"我有一个好主意!我咬住树枝的一头,你咬住另一头,这样我们就可以一起飞了!"

乌龟也很高兴,立刻把那根树枝紧紧地咬在嘴里。

"无论发生什么事,你千万别松口!不然的

话，你会掉到海里去的！"鸽子准备起飞了，认真地
嘱咐乌龟。

乌龟咬着树枝，点了点头。

他们就这样飞上了天。白云从他们的身边飞
过，就像柔软的棉花一样。太阳从东方升起，把
金色的光洒在他们的身上。乌龟看了看鸽子，又看
了看自己，发现他们都被阳光镀上了一道金边。

天上的鸟见了都奇怪极了："啊，乌龟飞到天
上来了！"

乌龟记着鸽子的嘱咐，一句话也不说。

又飞了一会儿，他们来到海边。岸上有一群乌
龟看到他们，其中一只大乌龟惊奇地大声叫道：
"天哪，乌龟上天了！真是太聪明了！"

“伙计，今天有什么新闻哪？”

“他要去哪儿旅行啊？”

乌龟听见大家这么说，心里非常得意。他觉得应该和他们打个招呼，就张开嘴叫起来：“我要去纽约，再见！”

谁知他刚一张嘴，就掉进了海里。听说直到今天，那只乌龟还留在海里呢！

传说一点通

　　宠辱不惊是一种可贵的品质，得意忘形并不会有好的结果。乌龟如果保持冷静，很可能早已去了纽约，有了好的归宿，而不是直到今天还在海滩上爬来爬去。

猴子和鳄鱼

森林是动物们的天堂，大家生活在这里，日子过得很愉快。可是，不知道从什么时候起，河里来了几条鳄鱼。鳄鱼整天待在河里，从来不和大家玩，只把眼睛露出来，向四处张望着。

动物们都奇怪地打听："他们为什么要把自己藏起来呢？"

猴子们说："也许是胆小，怕我们呢！"

猴子们住在河边的树上，有时候鳄鱼会很小心地游到树下，好像在等着什么。

猴子们对鳄鱼们很好奇，就招呼他们说："朋友，别总是躲在水里，出来和我们一起玩吧！"

鳄鱼们见猴子们发现了自己，就急忙游开了。

这天，有只小猴子正在大树上吃果子，一条小鳄鱼游到了大树下。小鳄鱼朝四周张望了一下，慢慢地爬上岸来。

"喂，猴子！"小鳄鱼主动和小猴子打招呼。

小猴子见鳄鱼主动和自己打招呼，特别高兴："你好！你终于肯出来和我们玩了！"

小鳄鱼小声说："今天，我妈妈不在家，我就偷偷溜出来了。我们一起到河对岸去摘果子，好吗？"

小猴子说："我很想去摘果子，可是我不会游泳，去不了哇。"

"我可以背着你去，你快下来吧！"小鳄鱼对小猴子说。

"谢谢你！"小猴子说着，高兴地跳到小鳄鱼的背上。

小鳄鱼背着小猴子向河对岸游去。河水很清，小猴子能看到水里游来游去的小鱼。

"我从来没到河里来过呢，想不到你游得这么好哇！"小猴子夸奖小鳄鱼。

"我背你到河中心去，那里还要好玩呢！"小鳄鱼一边说，一边快速地朝河中心游去。河中心的水流很急，有许多漩涡在他们周围翻卷着，看上去很可怕，小猴子吓得紧紧地抓住小鳄鱼的尾巴。

突然，小鳄鱼猛地向水下潜去。小猴子吓得尖叫起来："天哪，你这是做什么？我会淹死的！"

小鳄鱼说："我就是要淹死你，因为我妈妈想吃你的心！"

小猴子一边牢牢地抓住小鳄鱼的尾巴，一边在飞快地想着主意。突然，他对鳄鱼叫道："等一下！我没有把心带来呀！"

小鳄鱼奇怪地问："难道你把心放在大树上了吗？"

小猴子点点头说："是的，我得回去把它取来！"

小鳄鱼只好背着他又往回游。回到大树下，小猴子立刻跳上了大树。他高声对小鳄鱼说："我的心就放在这里，你上来拿吧！"

小鳄鱼这才知道自己上了小猴子的当。他朝大树上看了半天，实在想不出什么好办法，只好灰溜溜地游走了。

从此以后，森林里的动物们都知道鳄鱼是坏东西，见了鳄鱼都躲得远远的。

传说一点通

　　轻易相信别人，差点儿使小猴子丧命。我们在面对诱惑的时候，应该先冷静地思考，再作出正确的判断，因为利益的背后很可能是一个可怕的陷阱。要记住"天下没有免费的午餐"这个道理。

cán de gù shi
蚕的故事

cóng qián háng zhōu fù jìn yǒu gè cūn zi cūn li yǒu hù rén jiā mǔ
从前，杭州附近有个村子。村里有户人家，母

qīn zǎo jiù sǐ le zhǐ yǒu fù qīn dài zhe yī gè jiǔ suì de nǚ ér hé yī gè
亲早就死了，只有父亲带着一个九岁的女儿和一个

sì suì de ér zi yóu yú rì zi guò de hěn jiān nán fù qīn zhǐ hǎo chóng xīn
四岁的儿子。由于日子过得很艰难，父亲只好重新

qǔ le yī gè lǎo po bāng tā dǎ lǐ jiā wù
娶了一个老婆帮他打理家务。

jiǔ suì de nǚ ér míng jiào ā qiǎo shì gè rén jiàn
九岁的女儿名叫阿巧，是个人见

rén ài de gū niang píng shí tā zhào gù dì di yī
人爱的姑娘。平时，她照顾弟弟，一

yǒu kòng jiù dào dì li bāng fù qīn zuò nóng huó dàn shì
有空就到地里帮父亲做农活。但是

hòu mā lǎo shì kàn zhè liǎng gè hái zi bù shùn yǎn bù dàn
后妈老是看这两个孩子不顺眼，不但

gěi tā men chuān de pò pò làn làn de hái bù gěi tā
给他们穿得破破烂烂的，还不给他

men chī bǎo fàn yóu yú hù zhe dì di ā qiǎo cháng
们吃饱饭。由于护着弟弟，阿巧常

cháng ái hòu mā de dǎ mà
常挨后妈的打骂。

yī nián dōng tiān wài miàn xià zhe dà xuě hòu mā
一年冬天，外面下着大雪，后妈

què rēng gěi ā qiǎo yī zhī kuāng zi shuō kuài qù gē
却扔给阿巧一只筐子说："快去割

cǎo jiā li de yáng méi cǎo chī le
草，家里的羊没草吃了！"

阿巧只好顶着大雪出了门。外面是一片冰天雪地，除了白雪还是白雪。她从早晨跑到黄昏，从山脚跑到山顶，只找到几根枯草，连筐底都没盖满。

天开始黑起来了，阿巧又冷又怕，就坐在石头上哭起来。突然，她听到有个声音在说："要割青草，半山沟沟！要割青草，半山沟沟！"

阿巧抬头一看，只见一只白色的小鸟站在她前面的石头上，正朝着她叫呢！

小鸟用黑黑的眼睛望着她，然后轻轻地飞了起来。阿巧很好奇，就紧紧地跟在小鸟的后面。

小鸟带着阿巧三拐两拐，来到一个山沟沟里。这儿完全是另一个世界——只见

yī tiáo qīng liàng liàng de xiǎo xī huā huā de chàng zhe gē gè zhǒng gè yàng de
一条清亮亮的小溪哗哗地唱着歌，各种各样的
yě huā kāi de zhèng shèng gāo gāo de shù shang jiē zhe dà dà de guǒ zi
野花开得正盛，高高的树上结着大大的果子。

ā qiǎo zhèng zài dōng zhāng xī wàng qián miàn zǒu lái yī gè piào liang de
阿巧正在东张西望，前面走来一个漂亮的
ā yí ā yí chuān zhe bái sè de yī fu līn zhe yī zhī lán zi tā xiào
阿姨。阿姨穿着白色的衣服，拎着一只篮子。她笑
mī mī de duì ā qiǎo shuō xiǎo gū niang huān yíng nǐ lái zuò kè
眯眯地对阿巧说：“小姑娘，欢迎你来做客！”

ā qiǎo gēn zhe ā yí zǒu bù duō yuǎn jiù kàn jiàn bàn shān shang yǒu yī
阿巧跟着阿姨走不多远，就看见半山上有一
piàn shù lín lǐ miàn yǐn yuē yǒu yī pái pái bái sè de fáng zi nà xiē shù hěn
片树林，里面隐约有一排排白色的房子。那些树很
qí guài bù gāo què zhǎng zhe dà dà de yè zi yǒu hǎo duō chuān zhe bái sè
奇怪，不高，却长着大大的叶子，有好多穿着白色
yī fu de ā yí līn zhe lán zi zài cǎi shù shang de yè zi
衣服的阿姨拎着篮子在采树上的叶子。

ā qiǎo hěn xǐ huan zhè ge ā yí jiù gēn
阿巧很喜欢这个阿姨，就跟
zhe tā yī qǐ cǎi shù yè rán hòu bǎ cǎi lái de
着她一起采树叶，然后把采来的
yè zi wèi gěi yī zhǒng xuě bái de xiǎo chóng zi
叶子喂给一种雪白的小虫子
chī ā yí kuā ā qiǎo qín láo néng gàn qǐng tā
吃。阿姨夸阿巧勤劳能干，请她

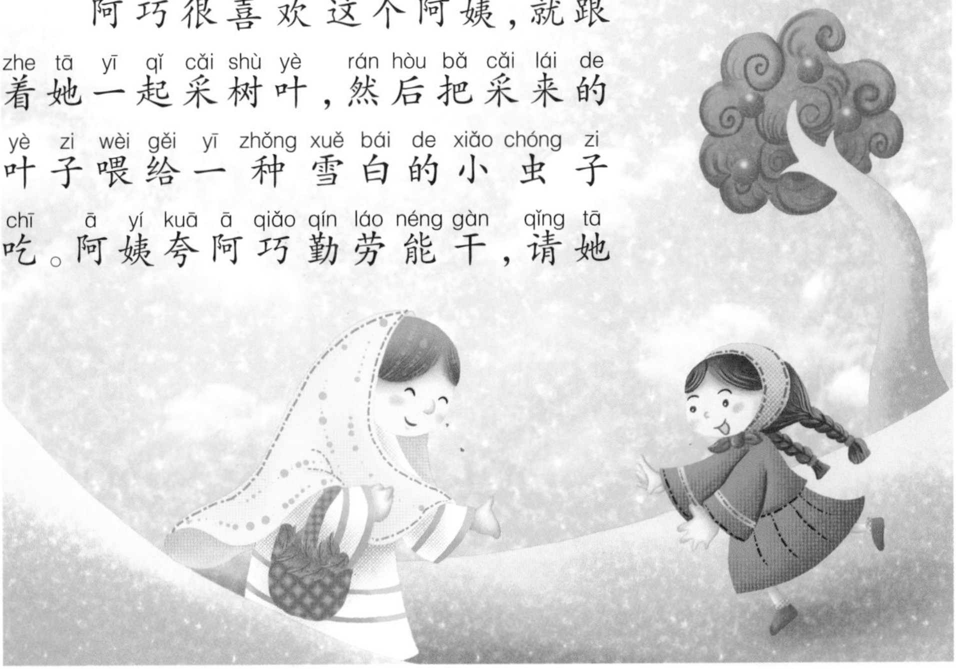

在这里多住几天,阿巧高兴极了。

过了几天,小虫子长大了,吐出丝,结成一个个雪白的小"果子"。阿姨告诉阿巧,这是"天虫",喂天虫的树叶叫"桑叶",从"果子"里可以抽出丝,用丝编织出来的云锦可漂亮了。

三个月过去了。这天,阿巧突然想起了弟弟。"我要把弟弟也带到这里过好日子!"阿巧顾不得和阿姨打声招呼,就背着筐子朝山沟沟外跑去。她一边跑,一边把筐子里的桑树籽撒在地上,心想:"明天沿着桑树籽,就能找到这里啦!"

阿巧终于回到了家。没想到后妈已经死了,父亲变成了白发苍苍的老人,弟弟也已经是个大小伙子了!

阿巧讲述了自己的经

历，大家都说她是遇到仙人了。弟弟一定要跟她去山沟沟看一看，阿巧便带着他出了村。阿巧发现，她来时撒的桑树籽已经变成一片桑树林，但是通往山沟沟的路却怎么也找不到了。

阿巧走得匆忙，口袋里还装了一片附有天虫卵的纸。她就开始教大家养天虫。后来，人们把天虫两个字合起来，称这种奇特的小虫子为"蚕"。大家都说，阿巧遇到的穿白色衣服的阿姨就是蚕花娘子。

传说一点通

中国是世界上最早开始养蚕的国家，是丝绸的故乡。丝绸的华丽、精美令人赞叹，被疑为天物。很久以来，浙江的杭嘉湖一带就有"蚕花娘娘"的传说，蚕农们供奉蚕神，希望她能保佑大家，使蚕茧获得丰收。

zǐ jīng shù
紫荆树

西汉时，某地有
一个农民，他的妻子
早就去世了，农民一
个人辛辛苦苦地把三
个儿子拉扯大。

　　每个儿子出生
时，农民都会在自家
门前种一棵紫荆
树。儿子长大了，三
棵树也长得又高又
壮。这三棵树很有
趣，下面的树干是分
开的，上面的枝条
却连成了一体。

农民经常拉着儿子们坐在树下，给他们讲树的故事。农民说："每一棵树都是你们出生的纪念。一棵树是'木'，三棵树就是'森'。你们要记住，只有团结一心，力量才会大哦。"

许多年过去了，三个儿子都成了家。他们都不愿意离开父亲和兄弟，所以仍然住在从小长大的院子里。每天，他们一起去地里劳动，把家里打理得井井有条。

农民年纪大了，得了很重的病，不久就去世了。三个兄弟料理完父亲的后事，开始忙着收获地里的庄稼。

老大喜欢吃玉米，就多拿了些玉米；老二喜欢吃面食，就多拿了些麦子；老三喜欢吃米饭，就多拿了些稻子。

老大媳妇不高兴地说："玉米最便宜，为什么不多拿些稻子回来呢？"

老二回到家，突然想吃玉米，但家里没有。

老三拿了稻子，又觉得没有拿别的，心里很不踏实。

第二天一早，大家不约而同地跑到粮仓里拿东西。老大抱了一大堆稻子，老二拿了一大筐玉米，老三把粮仓里的东西每样都拿了一些，他的做法引起了两个哥哥的不满。

"这样做很不公平啊！"老大对老二说。

"与其这样混在一起，不如大家算个明白。"老二也表示同意。

"我本来也没想分家，但是这样不明不白的，还不如分家来得好……"老三终于说出了自己的想法。

sān gè xiōng dì yú shì shāng yì qǐ fēn jiā de shì qing tā men jué dìng
三个兄弟于是商议起分家的事情。他们决定

zì lì mén hù gè rén guò gè rén de
自立门户，各人过各人的。

jiā li suǒ yǒu de dōng xi dōu fēn wán le zuì hòu tā men jué dìng bǎ
家里所有的东西都分完了，最后他们决定把

mén qián de sān kē zǐ jīng shù yě fēn diào dàn shì zhǎng zài yī qǐ de shù zěn
门前的三棵紫荆树也分掉。但是，长在一起的树怎

me gè fēn fǎ ne
么个分法呢？

lǎo dà chū zhǔ yi shuō ná bǎ fǔ zi bǎ tā men kǎn kāi zuì dà de
老大出主意说："拿把斧子把它们砍开！最大的

nà kē shì wǒ chū shēng shí zhòng de suǒ yǐ guī wǒ dì èr dà de nà kē
那棵是我出生时种的，所以归我，第二大的那棵

guī lǎo èr zuì xiǎo de nà kē guī lǎo sān
归老二，最小的那棵归老三。"

dà jiā dōu tóng yì le
大家都同意了。

dì èr tiān xiōng dì sān gè zǎo zǎo de qǐ lái gè zì ná zhe gōng jù
第二天，兄弟三个早早地起来，各自拿着工具

lái dào yuàn zi li tū rán tā men dà chī yī jīng zǐ jīng shù yǐ jīng kū sǐ
来到院子里。突然，他们大吃一惊：紫荆树已经枯死

le xiàng huǒ shāo guo yī yàng
了，像火烧过一样！

lǎo sān bù jiě de shuō zuó tiān hái hǎo
老三不解地说："昨天还好

hǎo de jīn tiān zěn me jiù sǐ le ne
好的，今天怎么就死了呢？"

老大伤心地说:"树木无情也恨分离。我们一心要分家,还不如树木哇!"

兄弟三个都想起了父亲在世时说的话,不禁伤心地抱头痛哭起来。他们把分开的东西又放到一起,团结一心过日子。

过了不久,门前的紫荆树活了,不但长出了新叶,而且开出的花比以前还漂亮。

传说一点通

紫荆树使三兄弟悟到了亲情的可贵,使他们又像从前一样团结了。亲情是世界上最伟大的情感,是无法用金钱来衡量的。也许你没有在意亲情的可贵,那就从现在开始,为你的亲人做点儿力所能及的事情吧!

鸽子树
gē zi shù

在大山里有一个神秘的王国。国王很富有，他住的宫殿墙是用琉璃做的，屋顶是用金箔做的。国王的珍宝多极了，就是用车子拉几天几夜也拉不完。他有一个最宝贝的女儿——白鸽公主。

白鸽公主长得美极了，就像下凡的仙女。她的心地也特别纯，纯得就像晶莹的水晶。

公主长大了，国王想给她找个好丈夫。王子们纷纷从各地赶来，他们早就听说了公主的

美貌，都想博得她的好感。有的王子带来了祖传的宝物，公主看都不看一眼；有的王子为公主献上自己写的诗，公主一句也不要听。

国王很着急，找来最聪明的大臣出主意。

大臣说："大王啊，公主一定是有了心上人！"

国王听了大臣的话，真是如梦初醒。他把女儿叫来问道："你到底想找一个什么样的丈夫呢？"

公主红着脸，轻轻地说："我……我想找一个像珙桐那样的……"

原来，那个叫珙桐的小伙子是一位工匠。一次，公主最喜欢的玉簪摔断了，就把他找来修理。珙桐琢磨了一个晚上，第二天就把玉簪修好了。他在玉簪断裂的地方镶上一只银白色的鸽子，使修好的玉簪看上去更漂亮了。公主特别高兴，就送了珙桐很多礼物。珙桐拿了公主的礼物非常不好意思，又做了一个头饰送给公主。两个人这么一来二去，渐渐地就喜欢上了对方。

珙桐虽然很喜欢公主，却不敢向她表白。公主看出了珙桐的心事，就把珙桐给她修好的玉簪又掰成两半，很坚决地说："我们一定会在一起！"她将一半玉簪作为信物送给珙桐保存。

国王听了，气得暴跳如雷："那么多王子你不要，偏要找个穷小子！"

公主也铁了心，说："我生生死死都要和他在

一起！"

国王坚决不同意这门亲事，但他知道女儿的脾气，就决定把珙桐杀了，让女儿死了这条心。

他派人悄悄地把珙桐抓进深山杀害了。消息传到公主的耳朵里，公主痛不欲生。趁着父亲不注意，她悄悄地跑进了深山里。

公主一边走一边哭，泪水洒了一路，脚上的血把路上的小草都染红了。山峦层层叠叠望不到边，山路弯弯曲曲看不到头，到哪儿才能找到珙桐呢？

突然，一只白色的鸽子飞到公主的面前。鸽子围着她转了三圈，然后慢慢向前飞去。鸽子引路，公主在后面紧跟。不一会儿，她的面前出现了一座新坟。鸽子

落在坟上，然后就消失了。坟上冒出一株碧绿如玉的小树，不一会儿就长成枝繁叶茂的大树。

公主明白了，这里就埋着她的心上人。公主大哭起来，一边轻轻呼唤着珙桐的名字，一边伸开两手抚摸着大树。大树发出簌簌的声音，就像在和她低语，树枝像手臂一样渐渐地把她围起来……

等到树枝再次伸展开来的时候，公主不见了，只有树上千万只白鸽一样的花朵，在风中轻轻摇曳……

传说一点通

　　不知是花变成了公主，还是公主变成了花，公主终于和心上人永远相守了。这个凄美的故事给鸽子树增添了许多神奇和魅力。其实，鸽子树本身就很神奇，它又叫珙桐，是一种古老的植物，有"活化石"之称，是我国的一级重点保护植物。

橡树和菩提树
xiàng shù hé pú tí shù

众神之王宙斯在天界住久了，感到特别无
zhòng shén zhī wáng zhòu sī zài tiān jiè zhù jiǔ le　gǎn dào tè bié wú

聊。这天，他对儿子赫耳墨斯说："我们不如四处转
liáo　zhè tiān　tā duì ér zi hè ěr mò sī shuō　wǒ men bù rú sì chù zhuàn

转，看看有什么新鲜有趣的事。"于是，他和儿子打
zhuàn　kàn kàn yǒu shén me xīn xiān yǒu qù de shì　yú shì　tā hé ér zi dǎ

扮成凡人的样子来到佛律癸亚。
ban chéng fán rén de yàng zi lái dào fó lǜ guǐ yà

天已经黑了，远山渐渐融入夜
tiān yǐ jīng hēi le　yuǎn shān jiàn jiàn róng rù yè

空，他们才想起该找个地方休息
kōng　tā men cái xiǎng qǐ gāi zhǎo gè dì fang xiū xi

了。他们穿过一片树林，
le　tā men chuān guò yī piàn shù lín

前面出现一个很大的村
qián miàn chū xiàn yī gè hěn dà de cūn

落。由于走了好久的路，他们两个又脏又累，看上去和流浪汉没什么两样。宙斯高兴地对儿子说："我们找个人家投宿，洗个热水澡，然后让他们请我们吃最美味的食物！"

走进村口，他们敲了敲第一户人家的门。那家人很小心地从门缝里朝外打量着他们，然后说："快走开，我们不收流浪汉！"

他们又走向第二家。这家的门本来是开着的，里面的人见他们走来，立刻把门关上了。他们又走向第三家、第四家……结果他们敲了一千户人家的门，却没有一家的门为他们打开。

他们真是绝望了。最后，在村边的一片杂树林里，他们看到一间小破草房。

"我们还去问吗?"赫尔墨斯问父亲。

"也许我们的希望就在这里呢!"宙斯说着走了过去。

只见小草房虚掩着的门吱的一声打开了,从里面走出一对老夫妻。"我们一直盼望着有人能来我们家做客。"这对老夫妻把他们迎进屋,还拿出他们舍不得吃的食物招待他们。

"善良的行为应该有所回报。"宙斯和赫尔墨斯对这对老夫妻说。老婆婆说:"回报?你们的到来就是我们最开心的事啊!"宙斯摇摇头说:"你们会得到应该得到的。"他开始施展法术,眨眼之间,破旧的小草房

就变成了一座金碧辉煌的神庙！

两位老人惊呆了。他们根本没想到两个看上去脏兮兮的流浪汉，原来是两位天神！

村里的人看见了奇迹，也想请宙斯和赫尔墨斯给他们赐福。宙斯说："你们也会得到你们应该得到的！你们要为你们的无礼付出代价！"

宙斯和赫尔墨斯一同施展法术，转眼间，来势凶猛的大洪水就淹没了整个佛律癸亚，只有小草房变成的神庙随着洪水越涨越高，没有受到一点儿损失。两位住在里面的老夫妻也没有受到一点儿伤害。

当洪水退去后，两位老人一直住在神庙里当祭司。每天，他们都感谢天神对他们的恩典，并尽力帮助有困难的人。就这样，他们平静地在这里

shēng huó le xǔ duō nián
生活了许多年。

yǒu yī tiān liǎng wèi lǎo rén zài yī qǐ tán tiān tán dào le sǐ
有一天，两位老人在一起谈天，谈到了死。

lǎo gōng gong duì lǎo pó po shuō wǒ zhēn xiǎng yǒu yī tiān néng hé nǐ
老公公对老婆婆说："我真想有一天能和你

yī qǐ sǐ qù
一起死去。"

lǎo pó po diǎn diǎn tóu shuō wǒ yě zhè yàng xiǎng
老婆婆点点头说："我也这样想。"

tā men de tán huà ràng tiān shén tīng dào le tiān shén wèn nǐ men zhēn
他们的谈话让天神听到了，天神问："你们真

shì zhè yàng xiǎng de ma
是这样想的吗？"

liǎng wèi lǎo rén yì kǒu tóng shēng de shuō shì de
两位老人异口同声地说："是的。"

huà yīn gāng luò lǎo pó po tū rán fā xiàn lǎo gōng gong shēn shang zhǎng
话音刚落，老婆婆突然发现老公公身上长

chū le shù yè lǎo gōng gong yě fā xiàn lǎo pó po shēn shang zhǎng chū le shù
出了树叶，老公公也发现老婆婆身上长出了树

yè tā men wú fǎ yán yu hù xiāng wàng zhe yòng mù guāng dào bié
叶。他们无法言语，互相望着，用目光道别。

yī huìr tā men biàn chéng le shuāng gàn bìng shēng de liǎng kē dà shù
一会儿，他们变成了双干并生的两棵大树

xiàng shù hé pú tí shù
——橡树和菩提树。

传说一点通

　　雨果曾经说过："善良是历史中稀有的珍珠，善良的人几乎优于伟大的人。"老公公和老婆婆是平凡的人，但他们却因善良而实现了最终的梦想。

zǐ jīn shù hé qié zi
紫金树和茄子

cóng qián yǒu zuò qí shān　míng jiào zǐ jīn shān　　zǐ jīn shān de shān dù
从前有座奇山，名叫紫金山。紫金山的山肚

zi li yǒu yī kē bǎo shù　shù gàn　shù yè quán dōu shì zǐ sè de jīn zi
子里有一棵宝树，树干、树叶全都是紫色的金子。

　　yǒu yī tiān　zǐ jīn shù chū le guài shì　tā bù tíng de zhǎng gāo　shù
有一天，紫金树出了怪事：它不停地长高，树

zhǎng yī cùn　shān zhǎng yī chǐ　shù zhǎng yī chǐ　shān zhǎng yī zhàng　yǎn
长一寸，山长一尺；树长一尺，山长一丈。眼

kàn zhe zǐ jīn shān jiù yào hé tiān tíng yī yàng gāo le　tiān dì lián máng pài le
看着紫金山就要和天庭一样高了，天帝连忙派了

yī wèi shén xiān qù kān guǎn zǐ jīn shù
一位神仙去看管紫金树。

　　shén xiān bǎ fēng zhǎng de shù zhī
神仙把疯长的树枝

jiǎn le　zǐ jīn shù fǎn ér zhǎng de gèng
剪了，紫金树反而长得更

kuài　shén xiān jí le　shùn shǒu bǎ yī
快。神仙急了，顺手把一

zhī tiě zhuì zi rēng dào zuì gāo de shù zhī
只铁坠子扔到最高的树枝

上，树果然长得慢了。

神仙在紫金树上挂了许多铁坠子，树真的不再长高了。

不久，铁坠子也变成了紫金色，就像紫金树结出的果子一样。

离紫金山不远的地方有个村子。村里有两个兄弟，老大懒惰，老二勤劳。他们兄弟俩种了两亩西瓜，看瓜的活都由老二承担。

这天夜里，老二正守在瓜田里，突然发现不远处有紫色的闪光。他跑过去，发现是一个山洞。老二走进山

dòng, kàn jiàn le jīn guāng shǎn shǎn de zǐ jīn shù
洞，看见了金光闪闪的紫金树。

shǒu shù de shén xiān jiàn dào lǎo èr hěn gāo xìng, shuō: wǒ yī gè rén
守树的神仙见到老二很高兴，说："我一个人

tiān tiān shǒu zhe zhè kē bǎo shù, zhēn shì mèn sǐ le, jīn tiān zǒng suàn pàn lái yī
天天守着这棵宝树，真是闷死了！今天总算盼来一

gè néng liáo liáo tiān de rén。
个能聊聊天的人。"

lǎo èr shuō: guāng liáo tiān duō méi yì si a, wǒ qǐng nǐ chī xī guā！
老二说："光聊天多没意思啊，我请你吃西瓜！"

shuō zhe pǎo huí dì li, zhāi le yī gè zuì dà de xī guā, huí dào shān dòng。
说着跑回地里，摘了一个最大的西瓜，回到山洞。

shén xiān cóng méi chī guo zhè me hǎo chī de dōng xi, yī gè dà xī guā
神仙从没吃过这么好吃的东西，一个大西瓜

quán ràng tā chī guāng le。 hǎo chī, hǎo chī, zhēn shì rén jiān měi wèi ya！
全让他吃光了。"好吃，好吃，真是人间美味呀！"

shén xiān bù zhù de zàn tàn
神仙不住地赞叹。

lǎo èr zhǐ zhe guā tián shuō: wǒ tiān tiān shǒu zhe guā tián, nǐ shén me
老二指着瓜田说："我天天守着瓜田，你什么

shí hou xiǎng chī le, kě yǐ lái zhǎo wǒ ya！
时候想吃了，可以来找我呀！"

jiù zhè yàng, tā men biān chī biān
就这样，他们边吃边

liáo, yǎn kàn zhe tiān jiù yào liàng le, yuǎn
聊，眼看着天就要亮了，远

chù chuán lái gōng jī
处传来公鸡

de bào xiǎo shēng。
的报晓声。

lǎo èr yào zǒu
老二要走

le。 lín zǒu shí, shén
了。临走时，神

xiān zhāi le yī gè zǐ
仙摘了一个紫

jīn guǒ sòng gěi lǎo èr　 dàn lǎo
金果送给老二。但老

èr gāng yī chū shān dòng　 shān
二刚一出山洞，山

mén lì kè guān shàng le
门立刻关上了。

lǎo èr bǎ zhè shì shuō gěi
老二把这事说给

lǎo dà tīng　 hái ná chū zǐ jīn
老大听，还拿出紫金

guǒ gěi tā kàn
果给他看。

lǎo dà bù mǎn yì de shuō
老大不满意地说：

nǐ zhēn shì gè bèn dàn　 jì rán
"你真是个笨蛋！既然

yǒu zhè yàng de bǎo bèi　 wèi shén
有这样的宝贝，为什

me bù duō xiàng tā yào jǐ gè ne
么不多向他要几个呢？"

lǎo èr yǒu xiē bù hǎo yì si de shuō　 wǒ zhǐ shì gěi le rén jia yī
老二有些不好意思地说："我只是给了人家一

gè xī guā　 zěn me néng ná de gèng duō ne
个西瓜，怎么能拿得更多呢？"

zǐ jīn guǒ fā chū de guāng bǎ zhōu wéi de yī qiè dōu zhào liàng le　 zhè
紫金果发出的光把周围的一切都照亮了。这

yàng de bǎo bèi zhēn shì tài nán dé le　 lǎo dà tū rán yǒu le zhǔ yi　 wǒ
样的宝贝真是太难得了！老大突然有了主意："我

wèi shén me bù qīn zì qù kàn yī kàn ne
为什么不亲自去看一看呢？"

dì èr tiān yè lǐ　 lǎo dà qiǎng zhe qù shǒu guā tián　 bàn yè li　 tā
第二天夜里，老大抢着去守瓜田。半夜里，他

yě fā xiàn bù yuǎn de dì fang yǒu zǐ sè de shǎn guāng　 jiù dài zhe yī zhī dà
也发现不远的地方有紫色的闪光，就带着一只大

kǒu dai　 pǎo jìn le shān dòng
口袋，跑进了山洞。

神仙见又来了客人，非常高兴地说："这两天真是贵客盈门，我以后再也不会寂寞了。"

老大说："昨天来的是我弟弟，他只给你一个西瓜，而我会把田里的西瓜都给你！"

神仙乐了，说："这倒不用，下次再带一个给我就行了。"他又指着紫金树说："你自己采吧，想采多少就采多少。不过，鸡叫三遍时一定要出山洞，不然你会被关在这里的。"

神仙说完，就赶去天庭参加神仙会了。老大立刻拿出大口袋采紫金果，他采了一个又一个，直到鸡叫了，他也没听见。

鸡叫了第三遍，山门轰的一声关上了，老大再也出不来了。

第二年春天，老二把

zǐ jīn guǒ pī kāi   zhòng dào dì li   hěn kuài   dì li zhǎng chū le yī kē xiǎo
紫金果劈开，种到地里。很快，地里长出了一棵小

zǐ jīn shù   qiū tiān shí   xiǎo zǐ jīn shù shang jiē chū le yī gè gè zǐ jīn sè
紫金树。秋天时，小紫金树上结出了一个个紫金色

de guǒ zi   lǎo èr cháng le cháng   wèi dào hěn bù cuò   yòng tā zuò de cài yě
的果子。老二尝了尝，味道很不错，用它做的菜也

hěn hǎo chī
很好吃。

hòu lái   cūn li de rén dōu kāi shǐ zhòng zhè zhǒng zǐ jīn guǒ   tā jiù shì
后来，村里的人都开始种这种紫金果。它就是

zhì jīn rén men hái hěn ài chī de qié zi
至今人们还很爱吃的茄子。

传说一点通

　　这个有趣的传说给普普通通的茄子增添了许多神秘的色彩，好像该对茄子刮目相看啦！以后吃茄子可能会想到那个被关在山洞里的老大，是贪心让他送了命。这个教训真是太深刻了。

shuǐ xiān huā
水仙花

在中国，水仙花常被比作清丽脱俗的仙女。但在希腊神话中，水仙花指的是美少年那喀索斯。

那喀索斯是河神和水泽神女的儿子，年少俊美，讨人喜欢。不过，那喀索斯对自己的美貌太在意了，一天中的大多数时间都用来欣赏自己。每天，他早早地来到河边，坐在一块大石头上，望着水里自己的倒影，左照照，右照照，完全被自己的美貌迷住了。

yǒu yī gè xiān nǚ míng jiào
有一个仙女名叫

è kē zhǎng de hěn piào liang
厄科，长得很漂亮，

hái tè bié huì jiǎng gù shi suǒ yǐ
还特别会讲故事，所以

hěn duō xiān nǚ dōu xǐ huan tā
很多仙女都喜欢她。

yī tiān zhòng shén zhī wáng
一天，众神之王

zhòu sī de qī zi nǚ shén hè lā
宙斯的妻子女神赫拉

lù guò shān lín kàn jiàn jǐ gè xiān nǚ zhèng wéi zhe è kē tīng gù shi dà jiā
路过山林，看见几个仙女正围着厄科听故事。大家

yīn wèi tīng de tài rù mí dōu méi yǒu zhù yì dào hè lā hè lā jí dù le
因为听得太入迷，都没有注意到赫拉。赫拉嫉妒了：

hng zhè ge xiǎo yā tou jìng rán bǎ wǒ de fēng tou dōu gài zhù le yú shì
"哼，这个小丫头竟然把我的风头都盖住了！"于是

shī zhǎn fǎ shù ràng è kē shī qù le zhèng cháng de shuō huà néng lì
施展法术，让厄科失去了正常的说话能力。

è kē de gù shi
厄科的故事

zhèng jiǎng dào jīng cǎi de dì
正讲到精彩的地

fang tū rán shén me yě
方，突然什么也

shuō bù chū lái le qí tā xiān nǚ zháo jí de
说不出来了。其他仙女着急地

wèn hòu lái ne è kē lì kè jiē zhe
问："后来呢？"厄科立刻接着

shuō dào hòu lái ne hòu lái ne
说道："后来呢……后来呢……

hòu lái ne
后来呢……"

dà jiā dōu lèng zhù le
大家都愣住了。

nǐ zěn me le yī gè xiǎo xiān nǚ guān xīn de wèn
"你怎么了？"一个小仙女关心地问。

zěn me le zěn me le zěn me le è kē hái shi
"怎么了……怎么了……怎么了……"厄科还是

zài chóng fù zhe bié rén de huà
在重复着别人的话。

è kē bù zhī dào fā shēng le shén me shì xiū kuì de kū le qǐ lái
厄科不知道发生了什么事，羞愧地哭了起来。

zì cóng bù néng zhèng cháng shuō huà hòu běn lái huó pō kě ài néng shuō huì
自从不能正常说话后，本来活泼可爱、能说会

dào de è kē jiù zhěng tiān mèn mèn bù lè lí kāi le tóng bàn dú zì zài
道的厄科就整天闷闷不乐，离开了同伴，独自在

shān lín zhōng màn yóu
山林中漫游。

zhè tiān è kē lái dào hé biān kàn jiàn le nà kā suǒ sī duì tā yī
这天，厄科来到河边，看见了那喀索斯，对他一

jiàn qīng xīn dàn shì yóu yú zì jǐ bù néng zhèng cháng shuō huà tā zhǐ hǎo
见倾心。但是，由于自己不能正常说话，她只好

jǐn jǐn de gēn zài nà kā suǒ sī de hòu miàn xī wàng tā néng zhù yì dào zì jǐ
紧紧地跟在那喀索斯的后面，希望他能注意到自己。

nà kā suǒ sī xiàng wǎng cháng yī yàng zuò zài shí tou shang zháo mí de
那喀索斯像往常一样坐在石头上，着迷地

wàng zhe shuǐ li zì jǐ de dào yǐng tū rán tā tīng jiàn bèi hòu chuán lái yī
望着水里自己的倒影。突然，他听见背后传来一

zhèn xī xī sū sū de shēng yīn jiù zhuǎn tóu wàng qù zhǐ jiàn shù cóng zhèng
阵窸窸窣窣的声音，就转头望去，只见树丛正

zài bù tíng de huàng dòng biàn gāo shēng wèn dào shéi zài nà lǐ
在不停地晃动，便高声问道："谁在那里？"

è kē hóng zhe liǎn zǒu le chū lái wàng zhe nà kā suǒ sī liǎn shang
厄科红着脸走了出来，望着那喀索斯，脸上

guà zhe xiào yì
挂着笑意。

nà kā suǒ sī jué de zhè ge nǚ hái hěn yǒu qù jiù děng zhe tā huí dá
那喀索斯觉得这个女孩很有趣，就等着她回答

zì jǐ de wèn huà dàn shì děng le hǎo jiǔ
自己的问话，但是等了好久，

cái tīng dào tā shuō zài nà lǐ zài
才听到她说："在那里……在

nà lǐ zài nà lǐ
那里……在那里……"

duō me wú liáo de huí dá nà kā
"多么无聊的回答！"那喀

suǒ sī bù xiè de zǒu kāi le zài yě méi yǒu
索斯不屑地走开了，再也没有

多看厄科一眼。

厄科虽然受到那喀索斯的冷落，但她对这个美少年仍念念不忘。她经常跑到水边等那喀索斯，想向他说说自己心里的想法，可是那喀索斯根本不理睬她。

美丽的厄科经受不住这样的打击，终于抑郁而死。但是，她的声音却在大地上回响，久久不散。

众神知道了，想起厄科的可爱，想起她讲的故事带给大家的种种快乐，于是恨死了那喀索斯，觉得厄科的死完全是他造成的。众神决定对那喀索斯进行惩罚。

这天，那喀索斯又来到河边，像往常一样欣赏起自己的倒影。忽然，在他的幻觉中，他自己的倒影变成了美丽的仙女。

"天哪，美丽的仙女！"那喀索斯激动极了，立刻

向水中的仙女表达自己的爱意。水中的仙女却笑而不答，一会儿变得清晰，一会儿变得模糊。

那喀索斯伸出两臂，想拉住水中的仙女，可是他一触动水面，仙女就马上消失了。

那喀索斯为了水中的仙女，日夜守在河边。有一天，筋疲力尽的那喀索斯失足掉进河里淹死了。

可怜的那喀索斯，直到死也不知道，水中美丽的仙女就是他自己的影子！

这是众神对那喀索斯的惩罚。但看到那喀索斯对仙女一见倾心的样子，众神也很可怜他，就把他变成了水仙花，并用他的名字做花名。

传说一点通

欣赏自己并没有错，但像那喀索斯这样极端的自我欣赏就成了"自恋"。每个人都有优点和缺点，要清楚认识自己的缺点，也要善于发现别人的优点，这样你就会拥有更多的朋友。

图书在版编目（CIP）数据

好孩子最想知道的传说故事/陈天等编写 . —杭州：
浙江少年儿童出版社，2015.11
（好孩子故事馆：精华版）
ISBN 978-7-5342-8876-0

Ⅰ.①好… Ⅱ.①陈… Ⅲ.①汉语拼音－少儿读物
Ⅳ.①H125.4

中国版本图书馆 CIP 数据核字（2015）第 164719 号

责任编辑　饶虹飞
封面设计　小飞侠工作室
电脑制作　枫桦图文
责任校对　沈鹏
责任印制　林百乐

好孩子故事馆（精华版）
好孩子最想知道的传说故事
编写/陈天等
绘画/梦幻卡通　郑凯军

浙江少年儿童出版社出版发行
杭州天目山路 40 号
浙江杭新印务有限公司印刷
全国各地新华书店经销
开本 710×1000　1/16
印张 18　字数 98000
印数 1—10000
2015 年 11 月第 1 版
2015 年 11 月第 1 次印刷
ISBN 978-7-5342-8876-0
定价：30.00 元
（如有印装质量问题，影响阅读，请与承印厂联系调换）